S0-ATD-836

En torno
a la filosofía
mexicana

Biblioteca Iberoamericana

José Gaos

En torno a la filosofía mexicana

Alianza
Editorial
Mexicana

Primera edición, mayo de 1980

Queda hecho el depósito que marca la ley

ISBN 968-6001-01-8

Impreso en México
Printed in Mexico

JOSE GAOS, ESPAÑOL TRANSTERRADO

Era ya avanzada la tarde del diez de junio de 1969, me encontraba en mis oficinas de la Dirección de la Facultad de Filosofía y Letras de la Universidad Nacional, cuando una llamada de teléfono me informaba, en forma escueta y dolorosa, que el maestro José Gaos acababa de morir. Moría en un salón de El Colegio de México, en donde presidía el examen de grado de uno de sus múltiples discípulos. Había ya terminado el examen, pero sólo alcanzó a firmar el original del acta de dicho examen, el corazón volvió a fallarle pero, en esta ocasión, en forma definitiva. Pese a su ya crónica enfermedad cardíaca la noticia parecía absurda, imposible, quizá porque piensa uno que personas como el maestro Gaos no podían o no debían morir.

Por la mañana de ese mismo día, en un cubículo que me facilitaba El Colegio de México para poder trabajar, sin interrupciones, alguno de mis libros, había recibido la visita del maestro. Como si presintiese su fin, había dicho a un profesor de mi Facultad que esperaba para plantearme un problema, que le dejase pasar, porque tenía prisa, con palabras que éste no ha olvidado después. "Déjeme pasar, usted tiene tiempo, yo no lo tengo". Hablamos cerca de una hora, sobre su obra y sobre lo que quería se hiciese con ella, y quién debería hacerlo. Parte de esto quedó escrito en un testamento manuscrito del que me entregó una copia. Habló de su regreso a la Facultad de Filosofía y Letras, que había dejado como protesta ante graves sucesos que surgieron en la Universidad en 1966 y frente a los cuales y como solidaridad con uno de sus amigos que había sido víctima de los mismos, el rector Ignacio

Chávez, había renunciado. "Quiero que quede claro Zea –me dijo– que por usted hubiera querido quedarme. Usted sabe lo que para mí significó su elección como Director de la Facultad. Pero también estaba de por medio mi lealtad a un extraordinario universitario." "La Universidad, pese a esta mi actitud –agregó–, me ha mantenido en mi situación como Maestro Emérito no aceptando mi renuncia, y ha tomado mi ausencia como el derecho que tienen los Eméritos a programar sus actividades dentro o fuera de la Universidad. He seguido, en efecto, trabajando. Pero quiero volver a la Facultad, extraño mucho a los jóvenes de filosofía, pese a que aquí he encontrado extraordinarios jóvenes en el campo de la historia. Creo que podré conjugar estos dos afectos." "No sé cuánto aguante este corazón, espero, al menos, llegar a los setenta años." Gaos había nacido con el siglo, como él solía recordar, le faltaban sólo unos meses. "Le responsabilizo –agregó casi al terminar– a que mi obra, que no puedo por mí mismo juzgar, sea conocida. Para mí, buena o mala, es la culminación de ésta mi accidentada existencia."

A diez años de su muerte, la obra de José Gaos, por sí misma ha mostrado sus alcances. Con Gaos cabe repetir aquellas palabras en las que la Biblia habla de la muerte de Job: "Y llegó a la vejez y a la muerte, como el trigo que se corta a su tiempo." Sus hijos intelectuales, y los hijos de sus hijos se reprodujeron. Su simiente en los años que han seguido a su muerte ha alcanzado extraordinaria riqueza. Las inquietudes que él sembró, al ser enviado al éxodo como parte de esa gigantesca diáspora a que se vió obligada una gran parte de la España al término de la Guerra Civil han dado grandes frutos. A través de este éxodo, España, por la vía más dolorosa, volvió a prolongarse por la América que los Cortés, los Pizarro, los Ponce de León y tantos otros, incorporaron a España. Pero ahora era España la que se incorporaba a esta América. Por ello José Gaos creó una palabra que daba sentido a este hecho: transtierro. *La España obligada al éxodo del que fuera el centro de un gran imperio, se transterraba a México, Argentina, Perú, Venezuela, a toda esta América que era parte de la misma España. El asturiano José Gaos venía a México como antes había ido a Zaragoza y Madrid. La misma tierra española, el mismo mundo, la misma lengua y cultura. Los jóvenes discípulos de Zaragoza y Madrid no se distinguían de los discípulos de México. No había destierro, solo transtierro. Gaos hacía suyo, como español, lo que en vano los españoles de América habían reclamado a la España peninsular antes de decidir su ruptura e independencia.*

El transterrado José Gaos pasó, sin problema alguno, a "empatriarse" a esta parte de Hispanoamérica, México; empatriándose, igualmente con toda esta América, como lo demostrará su obra. Esta era su América, como era también su España. Por ello no vivió en México como en un lugar de tránsito, sino como algo definitivo. "Vengo a sentar mis tiendas", dijo en alguna ocasión. "A trabajar aquí definitivamente si nada me arroja como me arrojó de la Península." Gaos llegó a México en 1938, iniciando de inmediato su extraordinario magisterio. Con Gaos llegaba también una pléyade de españoles que, como él, plantaron sus tiendas para empatriarse en América. Traían consigo las preocupaciones de la Península y el deseo de darles solución en esta prolongación de su España. Gaos traía los problemas que se plantearon a sus maestros, como José Ortega y Gasset y a los que fueran sus condiscípulos. La preocupación de la España empeñada en el deslinde de su propia identidad. Una identidad puesta en entredicho por una Europa de la que se sentía parte, pero que se empeñaba en marginarla, en mantenerla al otro lado de los Pirineos.

España, sin embargo, tenía, al otro lado del Atlántico, un extraordinario complemento, pero frente al cual se mantenía extraña, preocupada por su relación con Europa. Gaos, y con Gaos los que seríamos sus discípulos, nos íbamos a encontrar con que el problema español era también el problema de esta nuestra América. El problema de un mundo una y otra vez marginado por Europa, por el mundo llamado occidental y al cual en vano habíamos tratado de pertenecer en un empeño que acabaría por ocultar y anular nuestra propia identidad. El empeño que llevó a los hispanoamericanos a renunciar a sí mismos; a renunciar a su pasado, a su historia, a lo que habían sido para ser distintos de lo que eran. De donde Gaos deduciría esa especial filosofía de la historia de estos nuestros pueblos, como "el esfuerzo por deshacerse del pasado y rehacerse según un presente extraño", en vez de "rehacerse según el pasado y presente más propios con vistas al más propio futuro". Gaos mostraría que la conciencia de esta situación había estado presente en los grandes maestros de esta América, los Rodó, los Martí, los Vasconcelos y tantos otros. Preocupación que volvía a renacer, ahora motivada por el maestro transterrado y que, al decir de él mismo, estaba dando origen a la filosofía anhelada por españoles y americanos. Una filosofía propia, una filosofía que enfrentase y resolviese los problemas de estos hombres. Y esto era ya posible, agregaba, visto desde lo que el llamó "una nueva filosofía de la historia de Hispanoamérica".

De este encuentro con América y los problemas de identidad que, como a España, se le plantean, habló Gaos diciendo: "Sabíamos de la América Española, pero qué diferente es vivir su vastedad y diversidad en el presente, su profundidad y complejidad por el pasado. . . Pero nosotros habíamos iniciado ya en España la actividad de que estoy tratando. Es que la reivindicación de los valores españoles había empezado en España, movilizada justamente por la conciencia de su valer."

"Por fortuna, lo que hay de español en esta América nos ha permitido conciliar la reivindicación de los valores españoles y la fidelidad a ellos con la adhesión de los americanos." Lo que los hispanoamericanos están "exponiendo de sí mismos, ¿no es un tanto la visión de unos emigrados de sí mismos, por encontrarse a sí mismos otros que aquellos que sienten el afán de ser?" Los mexicanos, los hispanoamericanos, están haciendo sobre sí mismos algo que los españoles venían ya haciendo, "autognosis, con necesidad no sólo lógica, sino más aún vital". La misma preocupación que se plantea a un Simón Bolívar cuando se ve obligado, ante la arrogancia metropolitana, a desprenderse de un pasado que reclamaba como propio, viéndose obligado a improvisar un presente que le era extraño todo en vistas a un futuro que difícilmente podría serle así propio y, sí, punto de partida para nuevas dependencias. ¿Quiénes somos?, preguntaba El Libertador. ¿Europeos? ¿Americanos? o ¿Una especie media entre unos y otros? Por ello el identificarse ante sí mismos había sido y era el problema de esta América, como lo era, también, para España.

José Gaos, apenas llegado a México, y al encontrarse con el libro del mexicano Samuel Ramos *El perfil del hombre y la cultura en México*, reconoce en tal obra un esfuerzo semejante al hecho en la España de la que fuera expresión Ortega y él mismo. Escribe sobre el libro rescatándole del "ninguneo" a que le habían sometido quienes, en México, se empeñaban en ser lo que no eran, con olvido de lo propio. Dando al mismo tiempo carta de naturalización a un filosofar propio que no tiene por qué seguir glosando filosofemas surgidos de circunstancias ajenas a esta concreta realidad americana. Todo lo cual replanteará en México, y en Hispanoamérica, la ya vieja preocupación iniciada por el argentino Juan Bautista Alberdi, en 1840, sobre la posibilidad o existencia de una filosofía americana, sobre su sentido y sobre su propia problemática. Este filosofar, del que fuera uno de los adelantados contemporáneos Samuel Ramos, acrecentará su volumen e intensidad, impulsado por José Gaos. Se replantea en México y se extiende al resto de la América Latina más allá de Hispanoamérica. Estudiosos sobre esta América, formados en los cursos y seminarios de José Gaos, llevarán sus inquietudes a otros países latinoamericanos. Se vuelven así a replantear interrogantes sobre lo propio de esta América en la historia, la cultura y la misma humanidad. Una humanidad puesta en entredicho, una y otra vez, por quienes se presentaban como expresión de lo humano por excelencia. Planteos sobre la propia identidad, a partir de la conciencia sobre nuevas presiones que tenderán, una vez más, a la enajenación de esta identidad en beneficio de los nuevos centros de poder.

En sus cursos y seminarios de El Colegio de México y la Universi-

dad Nacional, Gaos estimula investigaciones que, a partir de una Historia de las Ideas, se va ya haciendo patente la buscada identidad. Mis propios trabajos y los de otros muchos de los que fueran sus discípulos y alumnos surgen motivados por el estímulo de este extraordinario transterrado. Surgen de una preocupación común al maestro y a sus seguidores. La preocupación por la libertad del hombre y la independencia de sus pueblos, común a España y a esta nuestra América. José Gaos hablará, por ello, de una historia común en la lucha por el logro de esa libertad e independencia. En esta lucha los pueblos de América se habían emancipado de la España que impedía que sus hijos alcanzasen valores que ella había enarbolado, contra quienes habían pretendido enajenar sus libertades. España era la última república que había de librarse de sí misma, de lo que le había impedido e impide hacer realidad valores por los cuales había luchado insistentemente a lo largo de su historia. "España –decía– es la última colonia de sí misma que queda por hacerse independiente, no sólo espiritual, sino también políticamente."

Es en recuerdo de este hispanoamericano, en el sentido en que lo expresan sus palabras anteriores, que Alianza Editorial Mexicana publica este trabajo. Homenaje que forma parte de otros muchos que, a lo largo de esta América se vienen haciendo para recordar los diez años de su muerte. En torno a la filosofía mexicana *fue su aporte a las indagaciones que, por los días de su publicación, hicieran varios mexicanos sobre su identidad a partir de la pregunta, ¿Qué es el mexicano? Respuesta que resulta la necesaria perogrullada: Los mexicanos son hombres sin más, y, como todos lo hombres, con posibilidades e impedimentos; pero cuyo conocimiento podrá permitir el estímulo de unas y la limitación de los otros. Este libro es algo más que un estudio sobre la filosofía mexicana, algo que ha alcanzado validez para preocupaciones semejantes surgidas en el resto de la América Latina. Libro que fue prontamente agotado en su primera edición y que no había sido reeditado; pero que alcanzó a ser conocido por otros muchos latinoamericanos que hicieron de él punto de partida de sus reflexiones sobre la problemática expresa en el mismo. Una problemática que ahora es ya atendida y reconocida en los mismos centros de la cultura que a sí misma se titula universal, en Europa y los Estados Unidos.*

A este trabajo se agrega un Apéndice, el cual contiene importantes puntos de vista de Gaos sobre quienes trabajaban en este mismo campo, animados por la misma preocupación. Puntos de vista que complementan su libro. Análisis de libros como el de Samuel Ramos de que hablamos, de Alfonso Reyes y otros. Cartas sobre un libro mío y uno de Edmundo O'Gorman, ambos cercanos a su magisterio. Un trozo de sus Confesiones profesionales *en el que habla de sus discípulos que, para él, representaban la justificación permanente de su obra. La obra de un hombre que plantó sus tiendas en América para sembrar preocupaciones comunes. Siembra que ha dado ya frutos; frutos comunes a la España metropolitana y la España empatriada en América.*

Leopoldo Zea

A Samuel Ramos

Primera Parte

LA HISTORIA DE LAS IDEAS EN MEXICO

1. *Conflicto entre la Historia de la Filosofía en México y la Historia de la Filosofía en general*

La Historia de la Filosofía en México no parece poder ser sino una parte de la Historia de la Filosofía en general. Sin embargo, entre ambas se plantea un conflicto cuya conclusión tampoco parece poder ser sino la de que la Historia de la Filosofía en México no sería parte alguna de la Historia de la Filosofía en general.

Los mexicanos mismos han venido pensando muy generalizadamente que en México viene habiendo sin solución de continuidad desde los primeros tiempos de la Colonia filosofía *stricto sensu*, pero no original de mexicanos, sino tan sólo conocida, dada a conocer, desarrollada o criticada por mexicanos, quienes ni siquiera en estas críticas o desarrollos llegarían a ser filósofos originales o filósofos a secas: por lo que no habría una filosofía mexicana y se diría, en vez de "Historia de la Filosofía *mexicana*", "Historia de la Filosofía *en México*".

Semejante manera de pensar es originaria de ideas generalizadas universalmente, tan sólo enunciadas más o menos completa o rigurosamente, o, incluso, más o menos conscientes, según los casos:

la Historia de la Filosofía debe ser la Historia de las filosofías originales –u originales de los filósofos originales;

las filosofías y los filósofos originales son las filosofías y los filósofos a secas –o las filosofías originales son la filosofía;

las filosofías son calificables con los gentilicios de las nacionalidades de los filósofos de quienes son originales.

Mas si la Historia de la Filosofía en general *es*, como no puede menos, Historia *de la filosofía*, esto es, de las filosofías originales; y la Historia de la Filosofía en México *no es*, por no poder serlo, al no poder ser Historia de filosofías originales, Historia de la Filosofía; la Historia de la Filosofía en México no parece poder ser parte alguna de la Historia de la Filosofía en general.

Pero esta conclusión se presenta como absurda en sus propios términos. ¡Cómo la Historia de la Filosofía en un país no va a ser parte de la Historia de la Filosofía en general! Ha de haber algún error en las premisas: la manera de pensar que se cifra en el nombre "Historia de la Filosofía en México" y es una manera de pensar acerca de la historia de la filosofía en México; las ideas acerca de la Historia de la Filosofía en general y de las relaciones entre filosofía, originalidad y nacionalidad. Se impone una revisión crítica de estas ideas y de aquella manera de pensar. No podrá pasar de los límites de lo indispensable a los fines de la elaboración de la Historia de las Ideas en México comprensiva ante todo de las filosóficas; tampoco necesitará pararse antes de llegar a ellos. Seguirá un orden recomendado por las relaciones entre la Historia últimamente mentada y la filosofía del mexicano y lo mexicano. Quizá modifique la idea de la Historia de la Filosofía en un sentido que permitiría a ésta abarcar la Historia de la Filosofía en México aun cuando no hubiera una filosofía original de mexicanos o mexicana. Quizá enfrente a la manera de pensar acerca de la historia de la filosofía en México cifrada en el nombre "Historia de la Filosofía en México" con la historia de una filosofía más original de los mexicanos o más mexicana de lo pensado. Quizá así reemplace el conflicto por una armonía establecida entre una nueva idea de la Historia de la Filosofía en general y una nueva manera de pensar acerca de la historia de la filosofía en México. Y quizá esta historia se habrá así mostrado fecunda para cooperar a concebir una nueva idea de la Historia de la Filosofía en general y capaz de ser fecundada por esta idea en círculo de generosidades.

Lo dicho en este parágrafo hasta aquí con referencia a México es aplicable a los demás países de lengua española, sólo que en varia medida. En la misma les será aplicable la doble revisión crítica subsiguiente. En más de un paso será ineludible mentarlos expresamente.

Capítulo 1

LA HISTORIA DE LAS IDEAS EN GENERAL Y EN MEXICO

2. *Historia de la Filosofía, del Pensamiento, de las Ideas*

Los mexicanos que piensan que ni siquiera sus compatriotas de más nombre por su dedicación a la Filosofía son en esta dedicación bastante originales para ser filósofos, llaman a estos compatriotas "pensadores". Pero este nombre se da en los países de lengua española en general a toda una serie de clases de intelectuales. Son las siguientes, llamando cultivadores de una disciplina, no sólo a los creadores en ella, sino también a los expositores y críticos e incluso a los simples conocedores de ella, cuando el conocimiento es de extensión o profundidad no sólita. Se requiere en general el distinguirse por el cultivo de la disciplina al menos entre los compatriotas.

1. Los cultivadores de la Filosofía mentados hace un momento.

2. Los cultivadores de las partes más teóricas de las ciencias humanas no específicamente históricas –Derecho, Política, Sociología, Economía. . .–, aun cuando no sean autores de ideas originales, comparadas con las de sus colegas de otros países.

3. Los historiadores cuyas obras resultan reveladoras del sentido ideal de la historia o la cultura o culturas objeto de ellas, o contienen "ideas generales", aunque sólo sean incidentales, si no son demasiado escasas, y aunque no sean originales de ellos en su totalidad o sólo sean originales de ellos en el matiz.

4. Los cultivadores de las ciencias exactas y naturales a quienes éstas inspiran ideas acerca de la aplicación o intervención de estas ciencias en la instrucción, educación, cultura toda, especialmente en el sentido de una reforma de éstas en la propia patria o en países del mismo grupo y en semejantes situaciones histórico-culturales. Se requiere no sólo el general distinguirse por el cultivo de las disciplinas al menos entre los compatriotas, sino una especial resonancia, al menos también entre los últimos, de dichas ideas. A esta clase de intelectuales se los llama "pensadores" no en cuanto cultivadores de las ciencias exactas y naturales, sino por las repetidas ideas, que si bien inspiradas por estas ciencias, en rigor son propias de las disciplinas mentadas en los números anteriores. Lo que distingue a esta clase de intelectuales de las clases objeto de los números anteriores se reduce al especial origen de las ideas por las que se los llama "pensadores".

5. Los cultivadores de la crítica literaria y de arte y de la "literatura de ideas" –cuento, novela, poema, drama "filosófico" o "de ideas", ensayo "ideológico", aunque una composición carente de todo contenido de esta peculiar índole apenas podría ser "ensayo"– cuando se distinguen al menos *literariamente* por el cultivo de su disciplina.

Los "pensadores" de los países de lengua española se caracterizan en conjunto y de hecho, de hecho histórico, por el ejercicio de un peculiar magisterio nacional, en casos internacional dentro de estos países, anejo al distinguirse por el cultivo de las correspondientes disciplinas o la resonancia de sus ideas. Este magisterio ha avanzado, quizá en la mayoría de los casos, sobre todo desde los pródromos de la Independencia, hasta una intervención efectiva, tan sólo más o menos eficaz según los casos, en la vida pública y específicamente en la política nacional e internacional. Tal incorporación del pensamiento a la acción caracteriza también a estos "pensadores", a diferencia de los pensadores, hombres de ciencia, profesores, literatos y en general intelectuales "puros" de los países de vida social y cultural más especializada.

La inclusión de los cultivadores de la Filosofía en los países de lengua española dentro de los llamados "pensadores" en estos mismos países equivale a la inclusión de la historia de la filosofía en ellos dentro de una más amplia historia del "pensamiento" también "en" ellos. Así se dice como consecuencia del no requerirse de los "pensadores" la originalidad que se requiere de los filósofos *stricto sensu*. Y, sin embargo, más que al sustantivo "filosofía" se añaden al de "pensamiento" los gentilicios de estas nacionalidades. Se piensa que es *característico* de éstas el "pensamiento" en el sentido expuesto, es decir *original* de ellas semejante "pensamiento" exento o eximible de originalidad.

Pero parece conveniente distinguir no sólo entre historia de la filosofía y del pensamiento, sino también de las ideas.

De la filosofía: la de las ideas filosóficas *stricto sensu.*

Del pensamiento: la de las ideas sea profesadas como convicciones propias, sea, simplemente, tratadas o, más simplemente aún, mentadas por los pensadores en el quíntuple sentido detallado.

De las ideas: la de las ideas de todas clases y de todas las clases de hombres de un grupo mayor o menor, hasta la Humanidad en toda su amplitud histórica.

La mayoría de los hombres no llegan a tener más ideas que las recibidas de otros. La historia de las ideas es, tanto cuanto historia de la originación de las ideas nuevas relativamente a las ya más o menos recibidas de los hombres, historia de la recepción de las ideas nuevas. Al hablar de la historia de las ideas es obligado decir "en" –donde sea.

La historia de la filosofía y la historia del pensamiento resultan partes de la historia de las ideas.

Y lo dicho en los siete últimos apartes, aplicable a la Historia de la Filosofía y a una Historia del Pensamiento y una Historia de las Ideas cuyos respectivos objetos sean la historia del pensamiento y la historia de las ideas entendidas como se ha apuntado en lo anterior.

La Historia de la Filosofía en México viene siendo hecha como parte de la Historia del Pensamiento en México y ésta como parte de la Historia de las Ideas en México; y la Historia de la Filosofía en general como la arquetípica Historia de las Ideas, siendo la parte de ésta cultivada de más antiguo y más acabadamente hasta hoy.

Es, en conclusión, la Historia de las Ideas la que aquí hay que revisar críticamente –aunque refiriéndose preferentemente, por un lado, a la arquetípica Historia de la Filosofía y, por otro lado, a la Historia del Pensamiento en México, que comprende aquella que es la que aquí interesa en definitiva propiamente: la Historia de la Filosofía en México.

3. *La Historia de las Ideas*

Una revisión crítica de la Historia de las Ideas tiene que revisar críticamente primero que nada –la negación de la existencia de la Historia de las Ideas.

> No hay propiamente 'Historia de las Ideas'.
>
> . . .
>
> . . .Ninguna idea es sólo lo que ella por su exclusiva apariencia es. Toda idea se singulariza sobre el fondo de otras ideas y contiene dentro de sí la referencia a éstas. Pero además ella y la textura o

complexo de ideas a que pertenece, no son sólo ideas, esto es, no son puro 'sentido' abstracto y exento que se sostenga a sí mismo y represente algo completo, sino que una idea es siempre reacción de un hombre a una determinada situación de su vida. Es decir, que sólo poseemos la realidad de una idea, lo que ella íntegramente es, si se la toma como concreta reacción a una reacción concreta. Es, pues, inseparable de ésta. . .

He aquí el primer principio de una 'nueva filología': *la idea es una acción* que el hombre realiza en vista de una determinada circunstancia y con una precisa finalidad. Si al querer entender una idea prescindimos de la circunstancia que la provoca y del designio que la ha inspirado tendremos de ella sólo un perfil vago y abstracto. Este esquema o esqueleto impreciso de la efectiva idea es precisamente lo que suele llamarse 'idea' porque es lo que, sin más, se entiende, lo que parece tener un sentido ubicuo y 'absoluto'. Pero la idea no tiene su auténtico contenido, su propio y preciso 'sentido' sino cumpliendo el papel activo o función para que fue pensada y ese papel o función es lo que tiene de acción frente a una circunstancia. No hay, pues, 'ideas eternas'. Toda idea está adscrita irremediablemente a la situación o circunstancia frente a la cual representa su activo papel y ejercita su función.

La realidad, quiero decir, la integridad de una idea, la idea precisa y completa aparece sólo cuando está *funcionando*, cuando ejecuta su misión en la existencia de un hombre, que, a su vez, consiste en una serie de situaciones o circunstancias. . .

. . .La vida es siempre concreta y lo es la circunstancia. De aquí que sólo si hemos reconstruido previamente la concreta situación y logramos averiguar el papel que en función de ella representa, entenderemos de verdad la idea. En cambio, tomada en el abstracto sentido que siempre, en principio, nos ofrece, la idea será una idea muerta, una momia y su contenido la imprecisa alusión humana que la momia ostenta. . .

. . .Ahora bien, de los abstractos no hay historia: ésta es el modo de conocimiento requerido por la peculiar realidad que es la vida humana. Sólo de una función humana viviente y tal como es cuando vive, esto es, cuando funciona en el conjunto de una existencia, cabe historia. . .

Una 'historia de las ideas' –filosóficas, matemáticas, políticas, religiosas, económicas–, según suele entenderse este título, es imposible. Esas 'ideas', repito, que sólo son abstractos de ideas, no tienen historia.

> Ni basta para creer que se hace historia mostrar la influencia que una idea anterior ha tenido en una posterior. Esto es pura metáfora. Una idea de ayer no influye en otra de hoy, propiamente hablando, sino que aquélla influye en un hombre que reacciona a esa influencia con la nueva idea. Es vano querer hacer historia si se elude hablar de hombres y colectividades de hombres. En suma, que la historia de la filosofía deberá anular la presunta existencia deshumanizada en que nos ofrece las doctrinas y volver a sumergirlas en el dinamismo de la vida humana mostrándonos su funcionamiento teleológico en ella. ¡Imagínese que de pronto todas esas ideas momificadas o inertes que la tradicional historia de la filosofía nos propone entrasen en resurrección, que comenzasen a vivir, a ejercer su función, a cumplir su papel en la existencia de esos hombres que las pensaron!. . .[1]

Pero esta larga cita –que, dicho sea de paso, documenta la calificación de "arquetípica" Historia de las Ideas dada a la Historia de la Filosofía– hace ver que el sentido del título con que empieza no es el de la negación de la existencia de la Historia de las Ideas en absoluto, sino el de la negación de que cierta Historia de las Ideas sea propiamente "Historia" –incluso con una correlativa propuesta de una ideal Historia de las Ideas.

No hay propiamente "Historia" de las ideas *–abstractas*. La llamada "Historia" de la filosofía, o, más en general, de las ideas, hecha considerando prácticamente con exclusividad, o, *hegeliano more*, como el determinante de todos los demás, el llamado por Windelband "factor pragmático" –las puras ideas y las puras conexiones entre ellas, concebidas como los *prágmata*, como las cosas mismas integrantes o determinantes de la historia y objeto propio de la Historia–, en menoscabo de los llamados por el mismo autor "factor histórico-cultural" y "factor individual"[2] –los individuos y las concéntricas circunstancias culturales e históricas de éstos en que tienen lugar y realidad las ideas, en que éstas se originan y reciben–, esta llamada "Historia" no es propiamente tal. La cita hecha niega, además, la *realidad* de una Historia de las ideas *concretas* con sus circunstancias, los individuos y las circunstancias de éstos; pero no niega la *posibilidad* de esta Historia, antes la imagina como un atractivo e imperativo ideal –por difícil que se presente su realización.

Mas esta Historia de las Ideas no es sino una parte de la única Historia que hay en rigor: la de la historia humana en su totalidad, en su integridad, que es la de todos sus factores "reales" e "ideales", individuales y colectivos, en todas los conexiones de unos con otros, en exhibir o desplegar las cuales viene a consistir cuanto de "explicación" o "comprensión" sea posible en Historia. Pero la necesidad de la división del trabajo y, más radicalmente, la diversidad de puntos de vista e intereses dependiente, más radicalmente aún, de sujetos, lo más radicalmente de todo, individuales, hacen forzosas y posibles Historias especiales: de la política, del arte, de las ideas. Estas Historias no pueden diferir entre sí sino por poner cada una de ellas en primer término una parte del todo uno de la historia humana y en otros términos todas las demás partes, por las cuales explicar o comprender la puesta en primer término según el caso. En los dominios de la Historia es tal Historia una el ideal máximo, mucho más difícil aún de realizar que el de la Historia de las Ideas, pero que, sin embargo, debe orientar y presidir los trabajos infinitamente especializados de los historiadores todos.[3]

En todo caso, sólo tal ideal es capaz de hacer justicia, no ya a todo lo histórico, sino a sólo lo históricamente más importante –si no es que el principio de selección de lo histórico a que no puede sustraerse la Historia haga en el fondo sinónimos los términos de histórico e históricamente importante. En particular, no la Historia de la Filosofía concebida como Historia de las puras filosofías, aunque éstas no se redujesen a las originales, sino sólo la Historia de las Ideas concebida como aquella especialización de la Historia una que pone en primer término las ideas y en otros términos las demás partes del todo de la historia humana, para explicar o comprender por éstas aquéllas, es capaz de hacer justicia a las peculiaridades características –a la originalidad de la historia de la filosofía en México, en los países de lengua española en general.[4]

Sea un ejemplo, de la historia de la filosofía en México.[5]

4. *El eclecticismo en México*

Por 1940 hacía Juan Benito Díaz de Gamarra figura de un cartesiano introductor de la filosofía de su maestro, y con ella de la filosofía moderna, en México en la segunda mitad del siglo XVIII.[6]

Un par de años después se emprendió un estudio de Gamarra, con el propósito de hacer de los resultados el asunto de una tesis, que había de presentarse a la Facultad de Filosofía de la Universidad Nacional de México, para recibir el grado de la Maestría en Filosofía. Al estudiar las únicas obras filosóficas de Gamarra conocidas en la actualidad, se encontró que Gamarra se declara en ellas expresa, reiterada y exclusivamente partidario de una filosofía ecléctica en la que sigue a otros autores, europeos, de su tiempo. No se encontraron, en cambio, razones para hacer de Gamarra un cartesiano, sino más bien para concluir que Gamarra disiente de Descartes en mayor medida que de otros filósofos modernos.

Algunas de las aludidas declaraciones de Gamarra se hallan reproducidas en el citado artículo del Maestro Caso, pero éste no saca de ellas las conclusiones a que llegó la tesis: sin duda no divisó todo su alcance, a consecuencia del generalizado desconocimiento del eclecticismo de los siglos XVII y XVIII sobre el que se volverá en seguida. Las declaraciones de Gamarra reproducidas por el Maestro Caso bastaron, sin embargo, a Samuel Ramos para decir en un libro impreso en 1943 que "Gamarra se considera a sí mismo como un ecléctico"; pero tampoco Ramos relaciona el eclecticismo de Gamarra con el de su tiempo, sino que más bien pone a Gamarra en relación con el racionalismo moderno.[7]

En las Historias de la Filosofía se encuentra el eclecticismo entre las escuelas de la edad helenística y romano-cristiana y como escuela de Víctor Cousin en la primera mitad del siglo XIX en Francia; pero prácticamente nada de un eclecticismo de los siglos XVII y XVIII.[8]

La investigación de este eclecticismo, iniciado, partiendo de los datos hallados en las obras de Gamarra, por la repetida tesis,[9] y continuado por otros investigadores que ya han publicado[10] o proyectan publicar[11] sus resultados, ha descubierto en él un movimiento caracterizado por las siguientes notas –principales, no únicas.

Se extiende en el tiempo por lo menos desde 1673, fecha de publicación de la obra más antigua[12] entre las conocidas como pertenecientes inequívocamente al movimiento, hasta el primer tercio bien cumplido del siglo XIX, en que aún se reimprimen y emplean en la enseñanza obras pertenecientes igualmente al movimiento.[13]

Se extiende en el espacio desde los países del Occidente de Europa –Alemania, Italia. . . España, Portugal– hasta los de la América española –México, Cuba. . .– y el Brasil.

Quienes lo integran se llaman a sí mismos "filósofos libres", "escépticos", "eclécticos", pero con estos diversos nombres mientan una misma actitud: libertad de espíritu frente al de secta o escuela, escepticismo respecto a la filosofía de las escuelas, elección de las verdades que se encuentran mezcladas con errores por todas las filosofías y no poseídas en pureza y con exclusividad por ninguna. Los que comulgan en esta actitud tienen además en común la concepción de la Filosofía y principios y doctrinas, hasta el punto de la reproducción en los mismos términos, a veces muy por extenso. Cardinales y características son la devoción por la Física, entendida como síntesis de Filosofía Natural en el sentido tradicional y de "filosofía experimental", como llaman a la llamada actualmente "ciencia natural", y la fidelidad a la religión cristiana, que tratan precisamente de conciliar con la ciencia moderna.

A las distintas partes del sistema o enciclopedia de la Filosofía anteponen la Historia de la Filosofía, como órgano por excelencia para el mejor conocimiento de la Filosofía misma. Interpretan la historia entera de la filosofía como una superación de la filosofía sectaria o de escuela por la filosofía libre de espíritu de secta o escuela o ecléctica. Invocan a los eclécticos de la Antigüedad, fundadores de la filosofía ecléctica, como sus antecesores y modelos, de quienes citan determinadas definiciones, sentencias o pasajes como lemas. Se apropian particularmente a algunos de los grandes filósofos modernos, como Bacon, a quien consideran fundador de la moderna "filosofía experimental", por su propia índole libre de aquel espíritu o ecléctica; como Leibniz, ecléctico prototípico, aunque "exótico", como lo califican, dando expresión a la impresión de tan extravagantes cuanto ingeniosas producida por las doctrinas características del mismo sobre sus contemporáneos. El cultivo de la Historia de la Filosofía es esencial a una filosofía electiva de las verdades que se encuentran repartidas por todas las filosofías de la historia.

Pues bien, los eclécticos de los países ibéricos de Europa y América tienen la gran importancia histórica de haber sido los introductores, si no absolutamente únicos, sí de los primeros en el tiempo y de los más decisivos por sus resultados, de la filosofía y aun de la ciencia modernas en estos países, y con ello capitales promotores de aquella renovación de la cultura nacional que tuvo lugar en los mismos por el siglo XVIII. En los demás países de Europa es la difusión del movimiento por ellos índice de la importancia histórica del mismo: estriba en haberse presentado a muchos espíritus como la mejor manera de dar satisfacción a la necesidad de asentir a los resultados de la ciencia moderna sin dejar de creer en los dogmas de la religión cristiana, a saber, desvinculando éstos de la filosofía inconciliable con aquellos resultados.

A la vista de todo lo anterior, parece, sobre injustificable, incluso inexplicable la ausencia del eclecticismo de los siglos XVII y XVIII en la Historia de la Filosofía. He aquí, sin embargo, las causas que pueden aducirse para explicarla, ya que no sean razones para justificarla.

La radicalmente decisiva es la idea de que la Historia de la Filosofía debe ser la Historia de las filosofías originales –de los filósofos originales.

La Historia moderna de la filosofía antigua ha tenido siempre más en cuenta las escuelas que la Historia de la filosofía moderna. La Historia antigua de la filosofía es Historia de las escuelas. La tradición de esta Historia persiste en la Historia moderna de la filosofía antigua. En el sentido de las escuelas filosóficas antiguas –y de las medievales– no las hay modernas. La historia de la filosofía moderna se caracteriza por un individualismo que es la correspondiente –y en cierto sentido extrema– modalidad del individualismo característico del mundo moderno. La Historia de la filosofía moderna se hace más por individualidades que la de la antigua –y aun la de la medieval.

Pero el eclecticismo de los siglos XVII y XVIII no cuenta con un solo "filósofo original" –no habiendo sido recogida la apropiación de filósofos como Bacon o Leibniz por la posterior Historia de la Filosofía. La actitud ecléctica es de suyo desfavorable a la originalidad, mucho más propia de la extremosa unilateralidad, *sui-lateralidad*, que de la circunspecta elección y conciliación de lo ajeno.

El eclecticismo francés del siglo XIX figura en las Historias de la Filosofía porque la Historia en general recoge tanto más cuanto más cercana la historia al presente, y el patriotismo francés, que no es capaz de dejar de recoger ni dejar de hacer valer nada propio, ha impuesto sus valores al extranjero, a través del imperialismo internacional ejercido por la cultura francesa desde el siglo XVIII.

Causa parcialmente correlativa de este imperialismo y subsidiaria de la radicalmente decisiva: el alejamiento del mundo ibérico del centro creador de la cultura moderna, por decadencia de las metrópolis, ascensión aún no consumada de las colonias independizadas, menosprecio ajeno y resignación propia.[14]

No sólo a los eclécticos de los países ibéricos en los siglos XVII y XVIII –a los "pensadores" en general de estos países no puede hacerles justicia una Historia de la Filosofía dirigida por la idea de deber ser una Historia de los filósofos originales, sino únicamente una Historia de la Filosofía parte de la Historia de las Ideas concebida como Historia de las ideas con todas sus circunstancias, en las cuales no sería posible dejar de ver cómo entran la difusión de un movimiento como el eclecticismo de los siglos XVII y XVIII, la renovación de la cultura nacional de todo un conjunto de países por obra principal del mismo, el magisterio nacional e internacional ejercido por los "pensadores" de los países de lengua española.

5. *La "invención" de textos*

La Historia de las Ideas tiene por fuentes de conocimiento toda expresión de ideas que pueda ser conocida de los historiadores.

No se excluye ni siquiera la expresión oral. Directa, de las ideas actuales de quien así las esté dando a conocer a un historiador –a condición de que haya Historia del presente. Indirecta, de ideas anteriores o ajenas de quien así las esté dando a conocer a un historiador –al que se las dará a conocer aquél sólo por medio de actuales suyas. Fuente de conocimiento limitada por la forzosa presencia inmediata al historiador de quien así le dé a conocer ideas.

Pero tampoco se excluyen los "monumentos", ni siquiera los desprovistos de toda inscripción. También ellos son expresión de ideas, por ejemplo, estéticas, que pueden "comprenderse" por ellos, bien que se trate de una expresión muy peculiar y por ello requeridora de una hermenéutica no menos peculiar.

Con todo, la fuente de conocimiento por excelencia de la Historia de las Ideas son los "documentos". Todos, también, pueden serlo. No sólo los "diplomáticos". La más sencilla carta familiar, el más humilde "documento" doméstico, puede ser expresión de ideas, quizá apenas conscientes para quienes las expresan de esta misma manera, pero no por ello menos efectivas y operantes en la circunstancia doméstica o familiar: fuente de conocimiento de estas ideas para el historiador –con ojos para ellas, es decir, radicalmente, con interés por ellas.

Naturalmente, una indiscutible preeminencia corresponde a los "documentos" que por su género son formalmente expresión de ideas, así, los libros, manuscritos, impresos o reproducidos como sea, inéditos o publicados como lo estén o lo fueran: los "textos" por excelencia de la Historia de las Ideas. También directos, en cuanto expresión de las ideas actuales de los autores, e indirectos, en cuanto expresión de ideas anteriores de los autores o ajenas: "doxografías", textos de Historia de las Ideas.

Ideal de la Historia, también de las Ideas, parece deber ser que los historiadores lleguen a conocer todos los documentos no material y totalmente destruidos. Sin embargo, este ideal ha sido ridiculizado, incluso, por historiadores y filósofos de la Historia, al parecer más avisados, menos ingenuos. Hay en materia de "documentación" histórica una relatividad determinada por ciertos factores de "selección" que van desde la más ciega hasta la más perspicaz.

No logra expresión en documentos todo lo que además de éstos integra la historia.

Esta misma está destruyendo constante y progresivamente documentos, sin criterio alguno de Historia, al puro azar histórico de las necesidades físicas.

Los documentos materialmente conocibles de los historiadores sólo tienen importancia para éstos bajo sus puntos de vista, o, radicalmente, en función de sus intereses. Si, por ejemplo, el interés de un historiador no se extiende de la existencia de una idea en determinada circunstancia al cómputo de la difusión de la idea en la circunstancia, carecerán de interés para él los documentos que se limiten a repetir la idea ya conocida por un primer documento, siéndole indiferente su número.

La experiencia de la Historia enseña que hay documentos más "instructivos" que otros –no simplemente por contener *más* "datos", por una razón cuantitativa, sino sobre todo por una razón cualitativa, por contenerlos más *"significativos"* o *"representativos"*.

De donde, en fin, que por un solo documento bien elegido y estudiado pueda conocerse todo el trozo de historia que interese, todo un trozo importante de historia, en casos privilegiados incluso un gran trozo de la historia –sobre lo cual insistirá el parágrafo próximo.

Pero nada de lo anterior quiere decir, ni siquiera para los aludidos ridiculizadores, que sea de todo punto indiferente la mayor o menor, mejor o peor "invención" de documentos.

La investigación de los documentos en general, de los "textos" en especial, tiene dos sentidos, correspondiente a sendas fases: el descubrimiento, la "invención" de ellos; el estudio de los mismos.

La "invención" es fundamentalmente obra de los intereses de los historiadores, que la dirigen hacia unos u otros documentos; pero logra su perfección en la reproducción técnica del mayor número posible de documentos, en el mayor número posible de ejemplares, y en la mayor difusión de éstos: es una forma de hacer más segura la conservación del contenido de los documentos y la mejor forma de poner a la disposición de todo interés los documentos hacia los cuales se dirija.

En materia, no ya de documentos en general, sino de "textos", interesantes a la historia de las Ideas en México, obras incluso de un interés capital, como hay razones para pensar, o han perecido, como también hay razones para pensar, o permanecen inéditas y andan perdidas, o sólo se conocen raros ejemplares de antiguas impresiones, con mayores peligros de pérdida y dificultad de conocimiento, por falta de ediciones modernas. Del *Curso de Filosofía* inédito de Clavigero sólo se conoce hoy la segunda parte de la "Física", encontrada por un equipo de investigadores, después de varias buscas, en lugar distinto de aquel en que la señalaba alguna bibliografía de la mayor autoridad. Otro investigador "inventó", tras insistentes pesquisas y con trabajosa labor, numerosos manuscritos pertenecientes a la historia de la filosofía en México, en el correspondiente departamento de la Biblioteca Nacional,[15] donde le había dicho que no se hallaba lo que le interesaba algún especialista también de la mayor autoridad. De la *Libra Astronómica y Filosófica* de Sigüenza y Góngora no hay edición moderna. Una colección iniciada hace ya años y que proyectaba comprender ediciones de textos pertenecientes a la historia de la filosofía en México, sólo publicó uno, los libros *Del alma* de Fray Alonso de la Veracruz. Las instituciones que vienen interesándose o debieran interesarse por la Historia de las Ideas en México, y que disponen de personas y de medios materiales para ir llevando a cabo obras de esta índole, debieran ponerse de acuerdo para emprender conjuntamente una obra de investigación, catalogación, reproducción y difusión de textos interesantes a esta Historia.

6. *El análisis de textos*

La investigación de los documentos en el sentido de la fase del "estudio" de éstos consiste ante todo en la "crítica" de su autenticidad y valor como fuentes de conocimiento: la de los "textos" consiste sobre todo en el "análisis" de lo que dicen, hecho con vistas a registrar todas las ideas y todos los datos acerca de las circunstancias de éstas interesantes –ideas y datos– bajo el punto de vista del historiador.

Todo lo que no sea más que leer los textos, aunque sea atentamente, anotando sólo al paso las que se presenten como principales articulaciones y las observaciones que se ocurran, dará de sí, al pasar a las forzosas afirmaciones sobre las ideas expresadas y las circunstancias explicativas de las mismas o que permitan comprenderlas, tan sólo un puro "impresionismo": azaroso y fragmentario, si las afirmaciones no traspasan los límites de las anotaciones; si los traspasan, infundado, al no poder dar prueba textual o documental de las afirmaciones que traspasan los límites, por certeras que fuesen de simple hecho.

Aun en los casos de un "despojo" más metódico y sistemático, se suele tomar los textos como fuentes de conocimiento exclusivamente de los respectivos "objetos": las ideas constitutivas del *tema* del texto del caso. Pero todo texto, cualquiera que sea su objeto, es, además, fuente de conocimiento, en alguna medida, de su "sujeto": el autor y sus circunstancias, integrantes de las circunstancias de las ideas. En particular, todo texto cuyo tema son ideas pasadas, aunque sean del autor, o ideas ajenas, es fuente de conocimiento de la actualidad del autor y de sus circunstancias: de ideas actuales del autor o ajenas, de las maneras de pensar, sentir y querer del autor, de hechos relativos a él o a sus circunstancias que pueden ser de la índole más variada.

El análisis hecho con vistas a registrar todas las ideas y todos los datos acerca de las circunstancias de éstas interesantes bajo el punto de vista del historiador, conduce de suyo a una síntesis de sus resultados. Las distintas ideas y datos presentan afinidades y discrepancias que las unen y separan en distintos grupos; éstos presentan a su vez relaciones de condicionamiento de unos por otros. Tales agrupaciones y condicionamientos representan una reconstrucción de la estructura dinámica tenida en realidad por una parcela de la historia de las ideas; una reconstrucción que apunta a la inserción de la parcela en la totalidad de esta historia –y de la historia una. Semejantes análisis de un texto y síntesis de sus resultados inician el "comentario auténtico" de cada parte del texto por las demás y del texto entero por los demás del autor; y en el seno mismo del comentario auténtico inician el "comentario histórico", la explicación o comprensión del texto, en sus particularidades y en su integridad, por las circunstancias todas.

Más las ideas, datos, grupos y relaciones de condicionamiento *visibles* –para cada historiador, dependen de su *vista*: las ideas, datos y grupos, de sus conocimientos e ideas especiales acerca del tema y del género del texto; las relaciones de condicionamiento, de sus ideas generales o filosóficas acerca de la estructura y dinámica de la historia y acerca de la Historia como ciencia y como arte.

El imperativo del despojarse de ideas preconcebidas y prejuicios, no se diga simpatías y antipatías, es imposible de cumplir: equivaldría a despojarse de la propia personalidad, y sin ella difícil le sería enfrentarse con la historia al historiador, que habría dejado de existir como ser humano.

Lo que a primera vista se presenta como un contrario extremo, viene a ser en el fondo lo mismo: quienes no quieren leer ni informarse previamente, para no dejarse influir y no perder la originalidad, son unos cómicos cuitados que prefieren morir de inanición original a desarrollarse comiendo lo por fuerza extraño.

Los imperativos no pueden ser sino: enriquecerse todo lo posible en saber y pensar; afrontar con lo que se sepa y piense la historia –un nuevo texto, por ejemplo pertinente; pero esforzarse por tener la conciencia más cabal posible de lo sabido y pensado con que se la afronta; y estar en conciencia resuelto a cambiar de manera de pensar –lo único posible, dada la imposibilidad del vacío– hasta donde lo imponga el nuevo saber de la historia afrontada y aportadora de novedades– y esforzarse por cambiar efectivamente.

Ni siquiera las simpatías y antipatías debieran evitarse si pudieran ser evitadas: no siempre ciegan; en casos hacen ver más y mejor –hasta las antipatías, como enseña la aguda vista del envidioso o del resentido para los defectos ajenos *reales.* Lo que hay que hacer es esforzarse por someterlas a imperativos de conciencia en el doble sentido, psicológico y moral, de los anteriores.

Hay un progreso *espiral*, intelectual y afectivo y volitivo, del historiador en relación con la historia.[16]

Mas la mejor manera de dar idea del análisis de que se trata, de la síntesis de sus resultados, de la dependencia en que análisis y síntesis están de los conocimientos e ideas del historiador, será nuevamente un ejemplo. De la historia de las ideas en México: la *Libra Astronómica y Filosófica* de D. Carlos de Sigüenza y Góngora, tan importante en la historia de las ideas en México como poco estudiada y nada analizada hasta días muy recientes.

7. *La* Libra *de Sigüenza y Góngora*

Tiene dos grandes partes, la segunda comprensiva a su vez de otras dos: las "instancias" de Sigüenza a las "respuestas" del padre Kino a los "argumentos" a que éste había reducido el contenido del *Manifiesto Filosófico* contra los *Cometas* de aquél; el "examen" de los "fundamentos" aducidos por el padre Kino en favor de su "opinión" acerca de los cometas y el "examen" de "los modos que para venir en conocimiento de las paralaxes propone el R.P." y "respuestas" a "los argumentos de que se vale el R.P. para probar la mucha altura y poca paralaxis del cometa" de 1681-2.

Sean el parágrafo primero del "examen" de los "fundamentos" primero y segundo aducidos por el padre Kino en favor de su "opinión" y el parágrafo último de la "respuesta" al "argumento" cuarto "para probar la mucha altura y poca paralaxis del cometa".

> 131. Cómo se persuadirán cuantos leyeren la doctísima *Exposición Astronómica* del R.P. ser su opinión la misma que siguen los mortales [. . .] advirtiendo los fundamentos tan débiles sobre que estriba, los cuales no son otros (como se ve) sino el que así lo dicen. Pero si ya se ha visto en lo antecedente, y se verá en lo de adelante más cumplidamente, el que también hay muchísimos que tal no dicen, quién no reconoce flaquear ya por esta parte sus fundamentos. Estar sólo a lo que otros dicen en materias discursables y filosóficas es declararse por de entendimiento infecundo y oponerse a lo que dijo Cicerón [. . .].
>
> 311. Omito porque ya estoy cansado de examinarlas otras muchas inconsecuencias que se deducen de confundir el R.P. las atmósferas del Sol y Venus, y de dar a entender que en una y otra hay partes homogéneas y similares, que es totalmente opuesto a lo que enseña en su *Itinerario Extático* El P. Atanasio Kirchero y a quien el R.P. parece que sigue en sus opiniones. Pero no puedo omitir lo que se infiere de su sentencia, y es, que el Cometa ocupó dos lugares a un mismo tiempo, porque si por haberse formado de las fogosas excreces, ardidos humos y redundantes fogosidades del

Sol estuvo precisamente en el cielo del Sol, por haberse formado de las fogosas excreces, ardidos humos y redundantes fogosidades de Venus necesariamente había de estar en el Cielo de Venus, con que no habiendo sido más de un Cometa, cómo pudo dejar de tener dos ubicaciones. Este es el cuarto y último Argumento con que el muy docto Astrónomo y excelente Matemático quiso probar haberse alejado el Cometa del centro del mundo 1150 semidiámetros de la tierra.[17]

En estos dos parágrafos se ve por lo menos lo siguiente.

"Cómo se persuadirán. . . sino el que así lo dicen": pasaje corroborativo del concepto en que tiene Sigüenza la *vox populi*: en el parágrafo 28 había escrito "siempre he tenido en la memoria el *nunquam volui populo placere*, que dijo Séneca".[18] Menos de medio siglo después aparece el primer tomo del *Teatro crítico* de Feijóo, cuyo primer discurso, "Voz del Pueblo", es un manifiesto explicativo del espíritu animador de la obra iniciada: espíritu de "desengaño" de los "errores comunes". Se trata de un ingrediente de importancia en el cambio de las ideas generales que constituye parcialmente el tránsito al mundo moderno del tradicional anterior.

". . .los fundamentos tan débiles sobre que estriba, los cuales no son otros. . . sino el que así lo dicen. Pero si. . . también hay muchísimos que tal no dicen, quién no reconoce flaquear ya por esta parte sus fundamentos": oposición de unas autoridades a otras: punto de la cuestión relativa a la validez del criterio de autoridad, cuestión fundamental en el mentado cambio de ideas.

"Estar sólo a lo que otros dicen en materias discursables y filosóficas, es declararse por de entendimiento infecundo": otro punto de la misma cuestión fundamental: el reconocimiento de materias en que se reivindica, en contra de la autoridad, la originalidad intelectual, característica de la manera moderna de pensar en ciencia y filosofía, arte y literatura.

". . .y oponerse a lo que dijo Cicerón. . .": autoridad aducida en contra de las autoridades, tan paradójica como significativamente: en la transición del predominio del criterio de autoridad al predominio de los criterios de razón y de experiencia, del predominio de la concepción del saber como erudición al predominio de la concepción del saber como investigación de verdades nuevas, son todavía muy numerosos los casos de inerte arrastre del criterio tradicional, aun en los partidarios expresos del moderno.

". . .confundir. . . las atmósferas del Sol y Venus y. . . dar a entender que en una y otra hay partes homogéneas y similares. . .", "el cielo del Sol", "el cielo de Venus", "el centro del mundo": datos acerca del saber astronómico ajeno de que sabía el propio Sigüenza y del saber astronómico de este mismo, por ejemplo, persistencia de la idea antiguo-medieval del mundo.

". . .que es totalmente opuesto a lo que enseña. . . el P. . . a quien el R.P. parece que sigue en sus opiniones": insinuación de inconsecuencia en el seguir autoridades: nuevo punto de la cuestión relativa a la validez del criterio de autoridad.

"el P. Atanasio Kirchero": gran autoridad enciclopédica en ciertos medios intelectuales de los tiempos de Sigüenza, entre los cuales se contaba el de este mismo, de cuyos conocimientos es fuente capital –así como de los de Sor Juana.

"la doctísima *Exposición Astronómica* del R.P.", el "muy docto Astrónomo y excelente Matemático": epítetos irónicos; "si por haberse formado de las fogosas excreces, ardidos humos y redundantes fogosidades. . . por haberse formado de las fogosas excreces, ardidos humos y redundantes fogosidades. . .": repetición burlesca; ésta y aquellos epítetos son recursos polémicos que incorporar con todos aquellos mediante los cuales caracterizar la manera de polemizar de Sigüenza, incluyendo su estilo polémico. Otros de tales recursos son, no sólo la omisión de inconsecuencias, por estar cansado de examinarlas, y la inferencia de las dos ubicaciones del cometa, sino la oposición de autoridades, la autoridad aducida en contra de las autoridades, la insinuación de inconsecuencia en el seguirlas, la reticencia del "es declarse por de entendimiento infecundo. . ."

Analizada así la *Libra*, las ideas y los datos acerca de las circunstancias de éstas que se ven en ella, se distribuyen en grupos que se disponen en un orden de condicionamiento.

Historia "externa" de la polémica: *Manifiesto* de Sigüenza, *Discurso Cometológico* del doctor José de Escobar Salmerón, *Manifiesto Cristiano en favor de los Cometas* de don Martín de la Torre, *Belerofonte Matemático contra la Quimera Astrológica* de Sigüenza, *Exposición Astronómica del Cometa* del padre Kino, *Libra*. En ésta se encuentran literalmente reproducidos el *Manifiesto* de Sigüenza, parte del de don Martín de la Torre y parte del *Belerofonte*, escritos de los que se habla como perdidos, sin mayores especificaciones.

Tema de la polémica y circunstancias más específicamente relacionadas con él: supersticiones generalizadas acerca de los cometas, astrología y astronomía y ciencia natural, en general, objeto del saber de Sigüenza, trabajos científicos de éste.

Forma de la polémica y circunstancias más específicamente relacionadas con ella: ideas ajenas y propias de Sigüenza acerca de las controversias "literarias", de los métodos de las ciencias, como el de inducción, de argumentos y criterios como los de analogía, autoridad, experiencia y razón, de las relaciones entre ésta y la fe o la religión; y maneras efectivas de discurrir, argumentar, polemizar Sigüenza. Estilo en general de éste como expresión de su personalidad.

Motivos radicales de la polémica por parte de Sigüenza: las reacciones de éste como criollo mexicano en relación con México, América, España, Europa; su personalidad, especialmente su carácter.

Este orden, de condicionamiento de lo "externo" por el tema y la forma, y de éstos por motivos radicantes, en último término, en una personalidad, depende de ideas acerca de la estructura dinámica de la historia del pensamiento para las cuales es factor irreduciblemente originario de esta historia la personalidad de los pensadores.

Semejantes análisis de obras maestras de la historia del pensamiento en México, desde las de los cronistas y humanistas del siglo XVI hasta las de los máximos maestros de la filosofía mexicana en nuestros días, asunto excelente para estudios, monografías, tesis – ¡no para "ensayos"! –, son el *desideratum* más inmediato de la Historia de las Ideas en México.

8. *La articulación de la historia*

Pero una simple serie de semejantes análisis, cuantosquiera y cualesquiera que fuesen los textos analizados, no constituiría una Historia. Para constituirla no basta el que remitan unas a otras las síntesis de los resultados de los análisis, por numerosos e importantes que sean los casos en que lo hagan. Es indispensable una síntesis de grado superior, una síntesis de las síntesis de los resultados de los análisis, en una narración seguida, única, a través de sus articulaciones. Sólo esta narración representa la síntesis histórica en que, exclusivamente, encarna la Historia.

Aquella serie, aun entrando en ella las síntesis de los resultados de los análisis, no pasaría de Filosofía a Historia, si las relaciones entre estas dos disciplinas se resumiesen en manejar los mismos materiales en dos direcciones inversas. El filólogo, para explicar cada punto menesteroso de explicación en cada uno de sus textos, echa mano de cuanto de pertinente al caso halla en la totalidad de su saber histórico: en definitiva, viene a explicar o comprender circularmente cada parte de un todo por las demás del mismo: la Filología dirige hacia cada parte el todo. El historiador integra todos los puntos de que sabe por sus textos, filológicamente explicados o comprendidos, en un todo que resulta, en definitiva, explicable o comprensible por la concurrencia de todas sus partes en él: la Historia endereza cada parte hacia el todo.[19]

La historia tiene una estructura dinámica, una articulación. Queda destruida, desarticulada, por la selección impuesta a la Historia. Esta necesita reconstruir, rearticular la historia, prescindiendo de lo omitido entre lo seleccionado, soldando directamente los cabos de lo seleccionado. La más obvia manifestación de esta reconstrucción o rearticulación de la historia por la Historia es la división de aquélla por ésta en edades, épocas, períodos. Esta división se traduce en la de la Historia misma como texto en libros, capítulos, parágrafos.

La división cronológica de la historia se cruza con todas las demás hechas de la historia por las de la Historia, por ejemplo –particularmente pertinente en vista de lo que va a seguir–, la división de la historia de las ideas por países: hay que articular en alguna forma las divisiones cronológicas de la historia de las ideas en un país con las de la historia universal de las ideas.

Semejantes articulaciones se hacen mediante conceptos de tal importancia en la Historia que bien pueden llamarse categorías de ésta. Ahora bien, las categorías, las de la Historia como cualesquiera otras, son siempre autóctonas de un territorio del ser, en el sentido de tener su origen en la actividad de concebir uno de estos territorios, como quiera que se piense de la objetividad o subjetividad de las categorías mismas oriundas de esta actividad. Pero el espíritu humano viene mostrando una milenaria tendencia a extender las categorías autóctonas de un territorio a otros, incluso a todos los demás, con preferencia a esforzarse por concebir primero cada territorio mediante categorías autóctonas de él y luego la conexión universal de los territorios mediante categorías *ad hoc* de un orden superior.

En los dominios de la Historia se presenta aquella tendencia como imperialismo de las categorías autóctonas de una parte de la historia sobre otras partes de ésta, incluso sobre todas las demás sobre la historia universal; el contrario esfuerzo consistiera en una más justa integración, con las partes de la historia, del todo de ésta, mediante las categorías autóctonas de cada parte y categorías conectivas de éstas. Caso particular del imperialismo: la división de la historia de un país conforme a la división de la historia universal, pero llamada así, más que por serlo auténticamente, a pesar del imperialismo. Resulta una división por *incorporación* de la historia del país a la llamada universal o por *inserción* de aquélla *en* ésta. Implica concebir la historia del país como *paralela de* la llamada universal o la primera como falta de sustantividad, de originalidad, categorías convenientes exclusivamente a la segunda. El mismo caso según la más justa integración: división autóctona de la historia del país e *incorporación* o *integración* de la auténticamente universal *con* la del país y las de los demás. Implica concebir *desniveles* –término entendido aquí como puramente descriptivo y no estimativo– entre las historias de los distintos países, debidos a grados de sustantividad, de originalidad de todas.

En todo caso, patente es la relación de toda articulación de la historia, por medio de unas u otras categorías de la Historia, con lo que en ésta se llama "interpretación" de la historia –sea en total o en parte– hecha, tanto como de operaciones intelectuales, de valoraciones, en suma, de "conceptuaciones", término que tiene una adecuada dualidad de acepciones. lógica y axiológica, y que no puede menos de ser un nuevo caso de la dependencia respecto de las ideas preconcebidas y los prejuicios del historiador encontrada en la raíz del análisis de textos y la síntesis de sus resultados –en rigor, ya en la raíz de la invención de los textos, en los intereses de que es fundamentalmente obra.

De hecho, el mentado imperialismo lo ha ejercido hasta hoy la historia europea en la Historia hecha por los europeos –y por los coloniales mentales de los europeos, sobre los cuales se volverá en parágrafos ulteriores. Y lo ha ejercido como dependencia del más radical imperialismo de la Filosofía de la Historia y de la Cultura hecha por los europeos.

De las muchas pruebas aducibles sólo interesa aquí la que aporta la división de la historia de la filosofía, del pensamiento, de las ideas en México. Viene haciéndose en general conformándola a las divisiones corrientes en la Historia política de México y en la Historia de la filosofía, del pensamiento, de las ideas en Europa. Más especialmente, ajustándola a las reconocidas como principales importaciones de filosofía, pensamiento, ideas europeas en México:

importación de la escolástica, el humanismo y el utopismo renacentistas en los primeros tiempos de la Colonia y cultivo exclusivo o predominante, bien que crecientemente rutinario, de la primera hasta la mitad del siglo XVIII aproximadamente;

"introducción de la filosofía moderna en México" en la segunda mitad del siglo XVIII;

. . . . .

"el positivismo en México", en la segunda mitad del XIX;

"el movimiento neobergsoniano" y el "movimiento neorteguiano" en México durante la primera mitad transcurrida en este siglo XX.[20]

En los orígenes de tal proceder, ya que no en la inercia de su prosecución actual, se divisa la idea de una doble falta de originalidad: no sólo la falta de originalidad de la *filosofía*, del *pensamiento* mexicano, sino además la falta de originalidad de la *historia* del pensamiento, de las ideas en México, en el sentido de falta de una articulación diferente de la articulación de la misma historia en otros países, principalmente en los de Europa. Idea tanto más notable, cuanto que sus dos partes parecen poco compatibles entre sí: la historia de las puras importaciones de creaciones extranjeras parece no haber de tener la misma estructura ni dinámica que la historia de las creaciones originales. La causa de la ceguera para este contrasentido se halla en la índole acrítica de la idea de la falta de originalidad del pensamiento en México, que ha dejado a esta idea extenderse no menos sin crítica a la historia del mismo. Mas la historia del pensamiento, de las ideas en México tiene peculiaridades estructurales y dinámicas suficientes para reivindicar la originalidad relativa, única de que puede tratarse en esta cuestión de grados, y para requerir que se la articule mediante categorías autóctonas de ella. La posesión de aquellas peculiaridades va a mostrarse con un ejemplo; otro lo será de articulación de la historia de las ideas en México mediante categorías autóctonas de ella.

9. *El siglo del esplendor en México*

Según la muy repetida frase de Pedro Henríquez Ureña, se puede llamar al siglo XVIII el siglo del esplendor en México. La frase está en realidad llena de matices restrictivos: "El siglo XVIII fué, dentro de los límites impuestos por el régimen político de la colonia, acaso el siglo de mayor esplendor intelectual autóctono que ha tenido México." Algunas de las frases siguientes, que ya no se repiten, declaran más o menos el sentido de la anterior: "El siglo XIX, en México, no ha sido inferior en talento puro al siglo XVIII; pero tal vez lo ha sido en el saber, en el trabajo intelectual acrisolado. La vida pública –carrera de pocos bajo los virreyes– ha absorbido las mejores energías de México en el siglo de la independencia. . ."[21] En vista de "la vida intelectual. . . dirigida por europeos", el importante término "autóctono" parece significar simplemente que los directores de la vida intelectual mexicana en el siglo XVIII eran los nativos de México, no que aquella vida misma se manifestase en producciones originales– aunque en la continuación del texto se encuentran datos para precisar este punto, principalmente en la descripción de conjunto, también repetida, aunque no tanto como la frase inicial, de la múltiple laboriosidad intelectual de aquellos hombres: "las ciencias matemáticas y físicas, la jurisprudencia y la medicina daban ocupación a hombres de singular actividad y extensa doctrina, universales y fecundos", etc.[22] Pero si a pesar de todas las restricciones de matiz, se puede llamar al siglo XVIII el siglo del esplendor en México, es un problema el fijar desde cuándo y hasta cuándo se extiende este siglo: porque una cosa es el esplendor del siglo, el esplendor que hubo en aquel siglo, y otra el siglo del esplendor, el espacio de tiempo en que hubo aquel esplendor.

El propio Henríquez Ureña retrotrae el principio al fin del siglo XVII: "Los últimos años del siglo XVII –años en que brillan Sor Juana y Sigüenza– abren la época de esplendor intelectual autóctono que se extiende a todo el siglo XVIII".[23] Y, en efecto, desde luego y totalmente en Sigüenza, pero también, aunque sólo parcialmente, en Sor Juana, se encuentran las características de los que dieron al siglo XVIII su esplendor: ser religiosos, afán de saber enciclopédico, saber de la ciencia moderna, interés por saber de las cosas naturales y humanas del país y por el progreso y emparejamiento de éste con Europa en los dominios de la cultura, conciencia de la peculiaridad de lo mexicano y de lo equiparable de sus valores a los más clásicos de los extraños. . . . Ello no parece al pronto un fenómeno histórico muy diferente de aquel de que se habla cuando se llama "precursores del XVIII" en Francia singularmente a Bayle y Fontenelle o, incluso, "maestros del XVIII" en Europa en general a Locke y Newton.

Por el otro cabo del siglo, en cambio y siempre según Henríquez Ureña, "bien puede decirse que en todos los órdenes se inicia una decadencia a fines del siglo XVIII. En la primera década del siglo XIX. . . la cultura mexicana se muestra notoriamente inferior a lo que había sido treinta años antes. El desorden político, llevado al punto del desconcierto en 1808, había de traer la revolución". . .[24] Pero, admitiendo provisionalmente la exactitud de estos juicios de valor, no se puede menos de pensar que la rama descendente de una curva no es otra curva, y dejando de admitir, cuando menos parcialmente, la exactitud de aquellos juicios, tampoco se puede menos de pensar que la curva es ascendente hasta la mentada revolución misma, en el sentido de que en ésta "culminó" la revolución intelectual, no por intelectual ciertamente menos revolución, que se desarrolló en México durante la segunda mitad del siglo XVIII. Decididamente, hay que prolongar este siglo en México hasta la iniciación, si no la consumación, de la revolución de independencia, en que el esplendor del siglo mostró no haber sido sólo lustrosa iluminación teórica, sino llegar a ser ustoria flagración práctica.

Pero si tampoco una prolongación semejante es un fenómeno histórico sorprendente por su novedad, sí puede serlo la estructura y dinámica del siglo comprendido entre los dos cabos fijados, si bien se mira, esto es, si se recobra la ingenuidad de la visión, sacudiendo la habituación originada por la repetida contemplación del espectáculo.

"Los últimos años del siglo XVII. . . abren la época de esplendor intelectual autóctono" y esta época "se extiende a todo el siglo XVIII" ciertamente de una manera muy especial. Entre los "precursores del

XVIII" o "maestros del XVIII" en Francia o en Europa y los filósofos y hombres de ciencia franceses o europeos más característicos del XVIII no hay la solución de continuidad que parece haber entre Sigüenza y Sor Juana y los pensadores y científicos mexicanos más característicos del mismo siglo: en la primera mitad de él no se encuentra nada comparable a éstos y aquéllos; para encontrar algo comparable a unos y otros es menester avanzar hasta el centro mismo del siglo, por el cual llevan a cabo José Antonio de Villaseñor y Sánchez y Juan José de Eguiara y Eguren los trabajos que los insertan en la línea de aquellos precursores a los otros pensadores y científicos, interrumpida entre los precursores y ellos, Villaseñor y Eguiara, y que es la línea de lo peculiar del siglo, no lo tradicional que en él se prolonga, sino lo nuevo que él aporta. Y no parece deberse a ignorancia de la realidad intermedia, sino ser efectivo vacuo.

Pero más sorprendente aún puede ser lo que, en cambio, sí se encuentra después de semejante solución de continuidad: una introducción prácticamente simultánea, en la segunda mitad del siglo, de lo que en Europa fue producción sucesiva desde mediados del XVI (obra de Copérnico) hasta la misma segunda mitad del XVIII inclusivamente: cartesianismo, atomismo, newtonianismo, filosofía de Locke, enciclopedismo, rousseaunianismo... Y se avizorará, al menos, la relación natural, esencial, entre esta simultaneidad y el eclecticismo dominante entre los pensadores más característicos del XVIII en México.[25]

Y no menos sorprendente puede seguir siendo la obra llevada a cabo en Italia durante esta misma segunda mitad del siglo XVIII por los jesuítas expulsos de México. Implica, en efecto, que una porción esencial del siglo XVIII "en México" transcurre en tierras bien alejadas de las mexicanas. Y esta localización en tierras lejanas de las nativas resulta esencial a la obra y a su importancia para la cultura del país de procedencia de los autores, si es esencial no sólo a la obra la nostalgia de la patria como motivación y temple, sino a su importancia el echar de menos los que quedan en la patria a los estimados expulsos y conceder tanto mayor aprecio a todo lo proveniente de ellos. Quien piense en otras emigraciones intelectuales colectivas, reconocerá antes o después diferencias no insignificantes. No todas las emigraciones intelectuales colectivas han tenido tal importancia para la cultura del país *de procedencia*. Ni es lo mismo que otras la emigración de coloniales a la metrópoli –cultural, si no política– para reivindicar en ésta los derechos de los valores patrios todos, desde los más materiales de suelos y cielos hasta los más íntimos del espíritu. Tan original es esta situación, que obliga a arbitrar para conceptuarla la categoría de un "México peregrino".[26] Esta categoría es de la estirpe de aquellas que tratan de superar la concepción geográfica, espacial, estática, de las culturas, por una concepción más humana por más histórica y dinámica: si las culturas pueden tener o echar sus raíces en un suelo, echan y tienen sus flores y frutos en hombres que pueden entrar con sus obras en diáspora, sin pérdida, antes con expansión y enriquecimiento, de la nacionalidad.[27]

Pues con ser bastante todo lo anterior, no es sino el revestimiento de algo mucho más nuclear. La Historia venía concibiendo la "Ilustración" europea en general según el arquetipo de la anglo-francesa. Más recientemente ha reaccionado en contra de esta concepción, dándose y dando cuenta de las diferencias, nada inesenciales, de la "Ilustración" entre distintos países de Europa: así, la alemana habría estado animada por un doble espíritu, religioso, aun en los racionalistas, y germánico, aun en los alemanes de otra raza,[28] muy diferente del racionalismo antirreligioso y del cosmopolitismo, en intención al menos, de la anglo-francesa. Hay que extender esta manera de concebir la "Ilustración" a los países de América –si no es que todavía a otros de Europa, como quizá Italia y desde luego España. La "Ilustración" mexicana tiene un caracter radicalmente diverso de la anglo-francesa, porque su espíritu dista otro tanto del de ésta: la apropiación y aplicación de la ciencia moderna sin menoscabo de la fe católica, y aun con impulsión de aquéllas por ésta,[29] la preserva de pasar, como la francesa por lo menos, del racionalismo autosuficiente a la desolación prerromántica.[30] En esto se parece más a la italiana. Pero ni siquiera sería perfecta la similitud con otros países de la América española. Entre éstos hubo colonias desde un principio plenamente culturales, como México y Perú, mientras otras fueron colonias predominantemente económicas hasta la proximidad de la independencia. Este desnivel en el desarrollo cultural parece tener repercusiones en el carácter y aun la existencia de la Ilustración en ellas.

Si todo lo apuntado en este parágrafo fuese precisamente ser colonia, cultural cuando no política, sería cosa de pensar que ser colonia, política o cultural, es algo bastante original, bastante más que ser original por la sola y paradójica originalidad de no ser original, aunque a primera vista parezca que la originalidad esté toda del lado de la metrópoli.

10. *Los grandes momentos del indigenismo en México*

Un buen ejemplo de articulación de la historia de las ideas en México mediante categorías autóctonas de ella, lo ofrece la de "los grandes momentos del indigenismo en México" llevada a cabo hace un par de años.[31] El autor se halló ante la necesidad de "conceptuar" para "articularlas", las que había reconocido y estudiado como máximas etapas en la historia del indigenismo mexicano. Su primera tendencia fué utilizar una mezcla de categorías hegelianas y sartrianas: éstas, por propias de una filosofía de la más imperiosa actualidad y de singular conocimiento del autor; aquéllas, por ser las más eminentes y conocidas de las brindadas por la Filosofía de la Historia; unas y otras, por ser más fácil echar mano de lo que se encuentra, aunque sea en terreno extraño al de la propia labranza, que no hacer dar a éste frutos propios y nuevos. Pero reconociendo el autor que la aplicación exclusiva de categorías tan extrañas como las hegelianas y sartrianas a la historia del indigenismo mexicano le exponían a un falseamiento esencial de esta historia, reaccionó en un bravo esfuerzo de concepción de categorías autóctonas de la misma historia, y sin dejar totalmente de servirse de las primeras, arribó a aquellas con que articuló la historia tema de su obra y esta misma tal como figura publicada. Si pudo no dejar totalmente de servirse de las categorías hegelianas y sartrianas, fué porque las categorías de la historia se amoldan a, y moldean, los diferentes grados de historicidad de los distintos ingredientes, ya más universales, ya más singulares, de la historia misma. El resultado final fué la potente "teoría" o "procesión" categorial, única hasta ahora en la Historia de México,[32] en que desfilan sucesivamente "lo indígena manifestado por la Providencia" como "elemento trágico", lo "indígena manifestado por la Razón universal" como "realidad específica que me libera de la 'instancia' ajena" y como "cosa objeto que determino", "lo indígena manifestado por la acción y el amor" como "el otro por quien me reconozco" y como "principio oculto de mi yo que recupero en la pasión".[33]

1. José Ortega y Gasset, "Prólogo", en Emile Bréhier, *Historia de la Filosofía*, traducción de Demetrio Náñez, t. I, Buenos Aires, 1942, pp. 29 *ss.*

2. Wilhelm Windelband, *Historia de la Filosofía*, trad. de Francisco Larroyo, t. I, México 1941, pp. 56 ss.

3. El autor del presente trabajo ha desarrollado recientemente algo la anterior concepción de la Historia de las Ideas en su artículo "O'Gorman y la idea del descubrimiento de América", publicado en la revista *Historia Mexicana*, núm. 3, enero-marzo de 1952, pp. 468 *ss.*

4. Modelo de la explicación o comprensión de las ideas filosóficas por sus circunstancias, y en materia de historia de las ideas en México, son los libros de Leopoldo Zea, *El positivismo en México* y *Apogeo y Decadencia del Positivismo en México*, México, 1943 y 1944.

5. Este ejemplo y los puestos en el resto del trabajo están tomados al campo donde han venido colaborando otras personas y el autor: éste espera que el lector encuentre precisamente *justificada* semejante limitación.

6. *Cf.* Antonio Caso, "Don Juan Benito Díaz de Gamarra, un filósofo mexicano discípulo de Descartes", en *Revista de Literatura Mexicana*, núm. 2, octubre-diciembre de 1940, artículo inserto en el libro del mismo autor, *México, Apuntamientos de Cultura Patria*, México, 1943, pp. 39 *ss.*

7. Samuel Ramos, *Historia de la Filosofía en México*, México, 1943, pp. 77*ss.*, esp. 79 *s.*, 86 *ss.*

8. Así, por ejemplo, en la Historia de Windelband citada en nota anterior. En la de Bréhier, citada asimismo en otra nota anterior, el autor se tropieza con el eclecticismo de los siglos XVII y XVIII como una manera de hacer la Historia de la Filosofía, pero no ve en absoluto la esencial relación de esta manera con todo lo demás del movimiento, porque tampoco ve, en absoluto, éste como tal: los pertenecientes a él que se hallan nombrados en la obra, andan diseminados por ella como discípulos o partidarios más o menos fieles de tal o cual de los grandes filósofos de su tiempo.

9. Sobre todo lo dicho en este parágrafo hasta aquí *cf.* Victoria Junco Posadas, *Algunas aportaciones al estudio de Gamarra o el eclecticismo en México*, México, 1944 (mimeo.), passim.

10. Bernabé Navarro, *La introducción de la filosofía moderna en México*, México, 1948; Olga Victoria Quiroz-Martínez, *La introducción de la filosofía moderna en España, el eclecticismo español de los siglos XVII y XVIII*, México, 1949; Pablo González Casanova, *El misoneísmo y la modernidad cristiana en el siglo XVIII*, México, 1948.

11. Carmen Rovira, *Eclécticos portugueses del siglo XVIII e influencias de los mismos en América.*

12. La *Philosophia libera*, de Isaac Cardoso, judío portugués nacionalizado español, publicada en Venecia en dicho año. Bréhier conoce como obra más antigua del movimiento la *Philosophia eclectica* del alemán Sturm, publicada en 1686: *op. cit.*, p. 74, n. 16.

13. Como las *Institutiones elementariae philosophiae* del jesuíta mexicano Andrés de Guevara y Basoazábal, de las que hay tercera edición de 1833 hecha en Madrid.

14. Sobre todo lo anterior de este parágrafo más detalles en el prólogo del autor del presente trabajo a su edición de los *Tratados* de Juan Benito Díaz de Gamarra, Biblioteca del Estudiante Universitario, 65, México, 1947.

15. *Cf.* B. Navarro, *op. cit.* pp. 261 *ss.*

16. La fundamentación de las ideas anteriores sólo podría ser incumbencia de una Filosofía de la Historia que no tiene cabida en el presente trabajo.

17. *Op. cit.*, México, 1690, pp. 67 y 146.

18. *Op. cit.*, p. 19.

19. La idea de estas relaciones entre Filología e Historia la debe el autor del presente trabajo a una lectura de juventud, de la que puede dar aquí el nombre del autor, el filólogo clásico alemán Otto Immisch, y el título, casa editora y lugar de publicación de la obra, *Wie studiert man Klassische Philologie?*, Violett, Stuttgart, pero no la fecha de publicación ni las páginas.

20. *Cf.* José M. Gallegos Rocafull, *El Pensamiento Mexicano en los Siglos XVI y XVII*, México 1952; *op. cit.* de B. Navarro y L. Zea; Patrick Romanell, *The Making of Mexican Mind*, de próxima publicación en traducción española de Edmundo O'Gorman y de cuyo contenido dio idea su autor en un recentísimo

curso de El Colegio de México; pero los cuatro autores se proponen, y logran, señalar cuanto, y cuánto, hay de original en la historia objeto de sus obras.

21. P. Henríquez Ureña, "Indice biográfico de la época", en *Antología del Centenario...* Obra compilada bajo la dirección del Señor... Don Justo Sierra... por los señores Don Luis G. Urbina, Don Pedro Henríquez Ureña y Don Nicolás Rangel, Primera Parte (1800-1821), Volumen Segundo, México, 1910, p. 661.

22. *Op. cit.*, p. 663.

23. *Op. cit.* p. 663.

24. *Op. cit*, p. 665

25. Incluso en un solo autor, como Gamarra, se hallan juntos el asentimiento, inequívoco a través de la presentación impuesta por las circunstancias, al copernicanismo y newtonianismo; el atomismo como teoría de la constitución "física" de la materia "metafísica"; el rousseaunianismo en toda la primera parte, "Errores sobre la salud", de los *Errores del Entendimiento Humano*, a pesar de las declaraciones contra Rousseau en pasajes de esta obra y de los *Elementa Recentioris Philosophiae. Cf.* Gamarra, *op. cit.*, y V. Junco, *op. cit.* Por lo demás, se trata de un fenómeno histórico ya señalado por Alfonso Reyes como peculiar de la América Latina en general. *Cf.* esp. *La Constelación Americana*, México, 1950, pp. 14 s. La diferente estructura y dinámica de las dos mitades del siglo XVIII no consiste sólo en la falta de pensadores en la primera y el apiñamiento de ellos en la segunda. Este apiñamiento y aquella falta sólo son manifestación de diferencias mucho más vastas y hondas, sobre las cuales *cf.* M. Pérez Marchand, *Dos etapas ideológicas del siglo XVIII en México a través de los papeles de la Inquisición*, México, 1945.

26. A paladina imitación de la de "España peregrina", arbitrada por José Bergamín para la emigración republicana española de nuestros días, como título de una revista órgano para esta emigración. Pero entre las dos emigraciones, la mexicana del XVIII y la española actual, hay por lo menos tantas diferencias importantes como semejanzas pueda haber. Para indicar tan sólo el par de las más relacionadas con lo dicho en el texto: la republicana es de nativos de la antigua metrópoli a las antiguas colonias; la obra llevada a cabo en éstas por aquéllos no tiene para ninguna de las dos tierras entre las cuales tiene lugar la emigración el mismo sentido que para Italia y para México la obra de los jesuítas expulsos de éste. Por lo demás, con la expulsión de los jesuitas en el XVIII se trata de un hecho histórico más que extender a la América española y a España y otros países aún, índice ya de su complejidad.

27. Otro caso que puede ilustrar la concepción general: concebir "España", no como el pueblo "libre, feliz e independiente" que "se abrió al cartaginés incautamente" y luego al romano, y al bárbaro del Norte, y al musulmán, concepción que lleva a considerar a Viriato como un héroe nacional, de la nacionalidad "española", y a que los descendientes mestizos de celtíberos y romanos renieguen de estos últimos, o justamente de aquellos de sus antepasados de que con más razón histórico-cultural o humana pudieran enorgullecerse; sino como etapa de un pueblo en formación, por sucesivos mestizajes, celtíbero-romano, hispanorromano-visigodo, hispanogodo-moro, hispano-indio o hispano-americano..., a través de distintas tierras de peregrinación y coyunda, tierras ibéricas, tierras américas...

28. Lessing sería el máximo punto de convergencia de ambas aparentes antítesis.

29. El autor del presente trabajo se inspira aquí en trabajos todavía inéditos del Sr. Rafael Moreno.

30. A la interpretación y valoración apuntadas en el texto, que, sugerida por Herníquez Ureña, *op. cit.*, fue dada en plenitud por el recordado Dr. D. Gabriel Méndez Plancarte, *Humanistas del XVIII*, Biblioteca Literaria del Estudiante, 24, México, 1941, aceptada por el autor del presente trabajo y confirmada y difundida por discípulos comunes de los dos últimos, B. Navarro, *op. cit.*, R. Moreno, y aun investigadores de otras escuelas, como P. González Casanova, *op. cit.*, han opuesto más recientemente algunos miembros del "Grupo Filosófico Hiperión" una que llega al contrario extremo de considerar "esta época la menos mexicana de nuestra historia" y afirmar que "la mexicanidad de que se habla" por referencia a ella "no es expresión de la realidad que rodea al hombre de México, sino su completa negación": Leopoldo Zea, *La Filosofía como compromiso*, México, 1952, p. 205. Que me permitan estos amigos, por quienes siento tanta admiración como afecto, decir que pienso que su oposición de filósofos a los que consideran simples historiadores va demasiado lejos. Y es tanto más de sentir, cuanto que la posición de los "hiperiones", por principios más "liberal" que la de los fieles de confesiones religiosas o laicas, que también de éstas las hay, les permite hacer suyos todos los valores, hasta los que estos fieles quisieran reservarse privativamente.

31. Luis Villoro, *Los grandes momentos del indigenismo en México*, México, 1950.

32. En la Historia de México, no en la Historia hecha por mexicanos, pues en ésta no es precisamente menos potente ni única aquella en que articula Edmundo O'Gorman, en *La idea del descubrimiento de América*, México, 1951, la historia de esta idea.

33. En la obra tal como figura publicada quedan, pues, huellas de la historia de composición de la misma resumida en el texto, aunque sólo perceptibles como tales huellas para un conocedor de la historia, como es el autor del presente trabajo por haber sido en un seminario de que está encargado donde se compuso la obra. A esta misma circunstancia se debe el haberse podido apuntar en el resumen hecho en el texto lo que excede de las repetidas huellas.

Capítulo 2

LA HISTORIA DE LA FILOSOFIA EN MEXICO

11. *De la originalidad* de la historia *de la filosofía en México a la originalidad* de la filosofía *mexicana según su historia*

El conflicto planteado entre la Historia de la Filosofía en México y la Historia de la Filosofía en general impuso una revisión crítica de las ideas acerca de la Historia de la Filosofía en general y de la manera de pensar acerca de la historia de la filosofía en México que niega la existencia de una filosofía mexicana por falta de originalidad de la filosofía habida en México.

La revisión de las ideas acerca de la Historia de la Filosofía en general se amplió inmediatamente en una revisión del concepto y los métodos de la Historia de las Ideas, también en general, aunque con la vista fija en la Historia de las Ideas en México y dentro de los límites perfilados por esta fijación de la vista. Esta revisión acabó oponiendo a la idea de la falta de originalidad de *la historia* de la filosofía, del pensamiento, de las ideas en México un par de ejemplos demostrativos de la relativa originalidad de la misma. Pues bien, esta última idea, de la relativa originalidad de la historia de la filosofía, del pensamiento, de las ideas en México, trae de suyo a la revisión crítica de la manera de pensar acerca de la historia de la filosofía en México que niega la existencia de una filosofía mexicana por falta de originalidad *de la filosofía* habida en México.

Esta manera de pensar implica la idea de que a la filosofía habida en México le falta incluso el mínimo de originalidad reconocido en las menos originales de las filosofías tratadas o mentadas por la Historia de la Filosofía en general. Porque la originalidad de las filosofías objeto de esta Historia es una originalidad relativa. No sólo en el sentido de que el concepto mismo de originalidad comprende una esencial nota de ser original una cosa sólo relativamente a otra: en el caso, cada filosofía relativamente a las anteriores y coetáneas; sino además en otro sentido, fundado, sin duda, en el anterior, pero distinto de él, y que es el que interesa especialmente aquí: la originalidad de las distintas filosofías relativamente a las anteriores y coetáneas no es absoluta, sino simplemente mayor o menor. La grandeza de los filósofos se estima, entre otros criterios, por el del grado de su originalidad. Pues bien, ni siquiera la originalidad de los más grandes filósofos es más que relativa. Basta recordar las secuencias culminantes a lo largo de la historia entera de la filosofía: Sócrates–Platón–Aristóteles; Descartes–Spinoza–Malebranche. . . hasta Hegel, sin solución de continuidad; Husserl–Scheler–Heidegger–Sartre. Filosofías absolutamente originales en relación a las anteriores, no existen. Y es por lo menos problemático que las primeras filosofías, por ejemplo, la milesia, sean algo absolutamente original en relación a lo anterior a ellas en la historia. Mas la originalidad relativa de las filosofías objeto de la Historia de la Filosofía en general tiene en ésta un efectivo mínimo. Desde los filósofos relativamente más originales desciende el nombre de "filósofos" hasta aquellos cuya originalidad es "tan relativa", que resulta arbitrario distinguirlos de aquellos cultivadores de la Filosofía ya no merecedores del nombre, por su "falta absoluta" de originalidad, y excluidos de la Historia de la disciplina. Sólo que este mínimo de originalidad no está nada "metódicamente" determinado –ni quizá sea determinable "metódicamente". Está determinado fundamentalmente por la historia misma y, sobre la base de ésta, por una comparación, más intuitiva que ninguna otra cosa, llevada a cabo por la Historia. Los filósofos medievales profesaban la verdad; no tanto prescindiendo de que fuese nueva o vieja, cuanto más bien creyéndola vieja, estimándola autorizada por la tradición de autores, y por ende repitiéndola sin empacho ni escrúpulo de reconocimiento de la propiedad intelectual. La concepción moderna de la verdad, como serie indefinida de novedades que hay que averiguar, ha traído a la idea de ser incluso objeto de un deber moral la novedad de la producción intelectual, de que una obra que no aporte nada nuevo no merecería la publicación, ni siquiera la composición. Y así los modernos han acabado por desvivirse ante todo por la originalidad –aun a costa de la verdad. Verdad original, miel sobre hojuelas; pero verdad sin originalidad, de ninguna manera. El grado de originalidad de las filosofías, abarcando, naturalmente, el mínimo, está, pues, determinado fundamentalmente por ideas que forman parte de ellas y de los tiempos correspondientes. Sobre la base de estas ideas de su tiempo determinan comparativamente los historiadores de la Filosofía la originalidad de las filosofías de los distintos tiempos de la historia. La inclusión de más o menos en la Historia con la correlativa exclusión de menos o más, depende del "criterio" adicional, pero decisivo, del formato de la obra de Historia en el caso.

Mas en cuanto se hace memoria de los filósofos menos originales tratados o mentados en las obras de Historia de la Filosofía más voluminosas y por lo mismo más detalladas, se siente exagerada, infundada, la idea de que a la filosofía habida en México le falte incluso el mínimo de originalidad reconocido en aquéllos; se siente que la filosofía habida en México tiene la originalidad propia de otras filosofías coetáneas tratadas o mentadas por la Historia de la Filosofía en general: aun antes de toda corroboración de estos sentires por medio de una demostración –como la que se va a intentar a continuación.

La idea de la falta de originalidad *de la historia* de la filosofía, del pensamiento, de las ideas en México, estaba en los orígenes de la división que viene haciéndose en general de esta historia. Una división de la historia de la filosofía en México, articulada mediante categorías autóctonas de ella, que partirán de la implícita en la idea de la falta de originalidad *de la filosofía* habida en México, la categoría de *importación*, demostrará la creciente originalidad relativa de la filosofía mexicana, como no habrá razones para no decir en adelante. La categoría de importación mueve a examinar las importaciones en cuanto tales, y este examen mueve a su vez a dar a la historia de la filosofía en México una articulación mediante categorías que demuestran cómo esta historia ha venido siendo la de una filosofía crecientemente calificable de mexicana por las mismas razones por las que se hace entrar en las filosofías calificadas con otros gentilicios nacionales buena parte de las mismas.

La originalidad relativa y creciente de la filosofía mexicana va a determinarse por lo pronto mediante la misma comparación intuitiva con que la determina la Historia de la Filosofía en general, aunque el hacer de su originalidad el tema rodee la intuición de un halo de conciencia más conceptual, sobre todo al comparar especialmente filósofos. La revisión crítica de las ideas sobre las que todo lo anterior se sustenta en último término, las ideas acerca de las relaciones entre filosofía, originalidad y nacionalidad, tienen que quedar para lugar al que se arribará con más preparación con que acometerla.

12. *Importación desde fuera y desde dentro.*[1]

México no habría hecho hasta hoy ninguna *aportación* a la filosofía universal. En el dominio de la filosofía no habría hecho más que *importar* filosofías extranjeras, prácticamente europeas con exclusividad. Es decir, los mexicanos cultivadores de la filosofía, en México o fuera de México, esto último como, por ejemplo, algunos de los jesuítas mexicanos desterrados a Italia en 1767, y los extranjeros cultivadores de la filosofía en México, como, por ejemplo, Fray Alonso de la Veracruz, si no es un anacronismo y hasta una herejía considerarle como extranjero, no habrían hecho más que exponer, en una forma u otra, filosofías extranjeras. Pero inmediatamente se ocurre una cuestión: ¿es posible que la importación de filosofías sea un hecho histórico tan puramente receptivo, tan pasivo, que no implique ninguna actividad algo más que receptiva, por poco que lo sea, y que por ende pueda considerarse como *aportativa*, siquiera en grado mínimo? . . Si se escruta la historia de la filosofía en México con el instrumento óptico al que puede compararse la pregunta anterior, pronto se ve lo siguiente.

El momento central del siglo XVIII ha sido en la historia de la filosofía en México un momento capitalmente divisorio: de los que pueden llamarse el período de la importación *desde fuera* y el período de la importación *desde dentro*. Pero el primer período de importación no es simplemente de una importación hecha por quienes vienen de fuera de México a éste, trayendo la filosofía del país de su procedencia; ni el segundo período de importación es simplemente de importaciones hechas por personalidades del país que, no sólo a la vuelta de un viaje al extranjero, sino antes de hacerlo e incluso independientemente de todo viaje al extranjero, importan en el país filosofías. Esta división de períodos de importación desde fuera y de importación desde dentro, no es una división geográfica, sino de "Historia del Espíritu": el importar con *espíritu de metropolitano* que se traslada a la colonia o con *espíritu de colonial*, o el importar con *espíritu de espontaneidad, independencia y personalidad nacional y patriótica creciente.* Espíritu de metropolitano que se traslada a la colonia; juzgar debido el llevar a ésta la religión y la cultura toda de la metrópoli –o ni siquiera hacerse cuestión de cosa natural. Espíritu de colonial: el de los nativos de la colonia –criollos, mestizos, indios– que aceptan las ideas y los valores de la metrópoli, si no como únicas ideas que piensen y únicos valores a que asientan, sí como decisivamente predominantes en su pensamiento y asentimiento. De este predominio resulta expresiva manifestación el hecho de que el espíritu de colonial siguiera con el espíritu de metropolitano que se trasladaba a la colonia la trayectoria declinante del espíritu de la metrópoli misma. Mientras en ésta pudo haber un Suárez, alguno no imparangonable con él, Rubio,[2] pudo venir a la colonia. Pero ésta entra en la repetición rutinaria y crecientemente decaída de la escolástica importada de la metrópoli, cuando ésta hace lo mismo con su propia escolástica, al ir extinguiéndose en ella la fuerza creadora. Espíritu de espontaneidad, independencia y personalidad nacional y patriótica: el de los nativos de la colonia en quienes espontáneamente predominan ideas y valores específicamente mexicanos en algún sentido, hasta llegar a aquellos que tienen plena conciencia de la personalidad nacional y la voluntad patriótica de lograr su independencia. Pues bien, el "desde fuera" y el "desde dentro" no quieren decir desde fuera o desde dentro *de las tierras* de la colonia, no se refieren al espacio; quieren decir desde fuera y desde dentro *del espíritu mexicano*, fuera del cual está no sólo el espíritu de metropolitano, sino también el espíritu de colonial, mientras que dentro de él está únicamente el espíritu de espontaneidad, independencia y personalidad nacional y patriótica; se trata de una nueva categoría puramente humana de la Historia. Con ella se resuelve el reparo que sugiere la importación atribuida a los desterrados: ¿qué pueden haber *importado* en México los *desterrados* de él? Los desterrados en Italia importan filosofía no mexicana en México ¿desde fuera de México o desde dentro de él? En cuanto parecen no poder sino enviarla en sus obras de Italia a México, parecen no poder sino importarla en México desde fuera de él; pero en cuanto antes de poder enviarla en sus obras de Italia a México, la importan de su medio no mexicano en sí mismos, y ellos siguen siendo mexicanos, México, "México peregrino", la importan en México tan desde dentro de él como desde dentro de él la importaban cuantos en tierras de él se encontraban animados del mismo espíritu. La categoría de "México peregrino" no es sino una categoría particular y derivada de la categoría más amplia y más profunda de "espíritu mexicano" o "México como un espíritu", que es la que determina el sentido, asimismo espiritual, de las categorías de "desde fuera" y "desde dentro" de las "importaciones" base de la historia de la filosofía "en México" –expresión cuyo sentido sólo ahora se abrirá en la plenitud de su autenticidad.

13. *Inserción en lo nacional y de lo nacional*

Pero las importaciones hechas con el espíritu de espontaneidad, independencia y personalidad nacional y patriótica han ido más allá. La importación de filosofías no podía menos de plantear el problema de su *inserción en lo nacional*, constituido como estaba en cada momento por la tradición correspondiente a éste: la solución fue la de *adaptación de* lo importado a las peculiaridades culturales del país en cada momento. El caso más relevante de semejante adaptación parece ser el cifrado por el cambio del lema o divisa del positivismo comtiano, *orden, progreso y amor*, por el lema o divisa *orden, progreso y libertad* en la que la *libertad* reemplaza al *amor* de aquélla por concesión al liberalismo cuyo triunfo acaba de ser condición de *posibilidad*, cuando menos, de la importación del positivismo.[3]

Pero tampoco en la adaptación de lo importado a las peculiaridades culturales del país se quedaron las importaciones hechas con el indicado espíritu. De la *inserción de lo importado en lo nacional* se pasó a la *inserción de lo nacional en lo importado.* Los objetos de la Filosofía son o abarcan en una forma u otra principios universales: a ellos debe, pues, la Filosofía la *universalidad* que la caracteriza. Por tanto, la creación o la adopción de una filosofía acarrea que el creador o el adoptante no pueda menos de concebirse *incluso en la filosofía creada o adoptada*. Lo que esto quiere decir lo explica el caso quizá más relevante ofrecido por la historia de la filosofía en México. Vuelve a ser caso del positivismo. Barreda no se redujo a importar el positivismo en México: incluyó a México en la historia universal según la ley de los tres estados de la filosofía de Comte; e incluyó a México en la historia universal según esta ley nada menos que como *protagonista* de un *agón* o lucha concebida como *decisiva* del curso de la historia universal. He aquí, en efecto, estas palabras de la oración cívica que pronunció en Guanajuato el 16 de septiembre de 1867, es decir, el primer aniversario de la independencia nacional subsiguiente al triunfo de la República Mexicana sobre el Imperio de Maximiliano:

> "Conciudadanos: vosotros recordáis en este momento, que el sol del 5 de mayo que había alumbrado el cadáver de Napoleón I, alumbró también la humillación de Napoleón III. Vosotros tenéis presente que, en ese glorioso día, el nombre de Zaragoza, de ese Temístocles mexicano, se ligó para siempre con la idea de independencia, de civilización, de libertad y de progreso, no sólo de su patria, sino de la humanidad. Vosotros sabéis que haciendo morder el polvo en ese día a los genízaros de Napoleón III, a esos persas de los bordes del Sena que más audaces o más ciegos que sus precursores del Eufrates, pretendieron matar la autonomía de un continente entero y restablecer en la tierra clásica de la libertad, en el mundo de Colón, el principio teocrático de las castas y de la sucesión en el mando por medio de la herencia; que venciendo, repito, esa cruzada de retroceso, los soldados de la República en Puebla, salvaron como los de Grecia en Salamina, el porvenir del mundo al salvar el principio republicano que es la enseña moderna de la humanidad."[4]

14. *Importación electiva y aportativa*

Filosofías extrañas a un país que importar en él hay muchas por lo menos desde que la filosofía, tras de haberse multiplicado dentro del mundo griego, traspasó los límites de aquel mundo. Sin embargo, las filosofías extrañas a México importadas en él han sido muchas menos de las que hubieran podido importarse desde los primeros tiempos de la Colonia hasta el día de hoy. Las importadas durante toda la Colonia pueden reducirse a la escolástica –en sus grandes escuelas tomista, escotista y suarista– desde aquellos primeros tiempos hasta la primera mitad del siglo XVIII inclusivamente; y en la segunda mitad de este siglo, al eclecticismo europeo del mismo siglo y del anterior. Esto quiere decir que las importaciones han implicado a partir de cierto momento una actividad de elección. Quizá un primer período de la historia de la filosofía en México sea el redondeado precisamente por la mera importación de la filosofía escolástica exclusiva en la metrópoli española, sin nada que pueda considerarse como elección de una filosofía entre las muchas integrantes de la filosofía universal. Puesto que en España no se cultivaba otra filosofía que dicha escolástica, ninguna otra podían importar en México españoles en general, ni mexicanos de espíritu colonial. El cultivo de la escolástica en España con exclusión, incluso violenta, de cualquier otra filosofía implica, ciertamente, una elección, pero esta elección no la implica la importación misma. Pero a partir por lo menos de la mitad del siglo XVIII ya no es lo mismo. Los jesuítas y los no jesuítas, como Gamarra, que hacen en la vida filosófica de la colonia las innovaciones tan estudiadas en estos años, pudieron importar por lo menos tantas filosofías cuantas eran las no eclécticas de las que sacaron la suya los eclécticos europeos de los siglos XVII y XVIII: prácticamente, todas las europeas de los mismos siglos, para no hablar sino de las modernas. Es decir, que la importación de filosofía en México de la segunda mitad del siglo XVIII fue una importación franca y fuertemente *electiva.* Aquellos jesuítas y no jesuítas eligen entre las muchas filosofías ya integrantes de la universal precisamente la filosofía *electiva* o *ecléctica,* para importarla. Los otros mayores momentos de importación de filosofías en México, el de importación de la filosofía del liberalismo en la primera mitad del siglo pasado, el de importación de la filosofía positivista en la segunda mitad del mismo siglo y el de importación de filosofías antipositivistas, espiritualistas, en los primeros decenios de este siglo, han sido momentos igualmente de activa elección filosófica, aunque ninguna de las filosofías importadas en ellos se llame ya electiva. Ahora bien, todas estas importaciones electivas han elegido en el mismo sentido: en contra de las filosofías que en el momento representaban desde más o menos tiempo la tradición, en favor de filosofías que el curso ulterior de la historia ha probado que marchaban en el sentido de la innovación y de la hegemonía; pero, a una, con cierta moderación, así en relación a las filosofías innovadoras y hegemónicas, como en relación a la tradicional: no siempre fue ésta rechazada ni siquiera reemplazada totalmente por las elegidas, ni éstas las más extremas entre aquellas innovadoras y hegemónicas. Y sin embargo, las filosofías representativas de la tradición en cada momento estaban ahí, hubieran podido ser *electivamente* continuadas o importadas con preferencia a las innovadoras; incluso lo natural hubiera sido que las hubieran preferido personalidades, por lo menos, como las de los jesuítas del XVIII y Gamarra, tan vinculadas por su carácter sacerdotal a la tradición. Y no menos natural es que los innovadores tiendan precisamente en cuanto tales al extremismo.

En una elección semejante no pueden menos de operar, para decidirla, principios, no por inconscientes de quienes los aplican, menos extraños a la filosofía elegida, menos originales de quienes la eligen y, por ser principios de elección en materia de Filosofía forzosamente filosóficos ellos mismos. Se siente la tentación de decir que lo mexicano en Filosofía consistiría fundamentalmente, aunque no supremamente, en semejante modo de elegir o módulo de preferencias filosóficas, si a no dejar caer en la tentación no viniese la idea de que lo mexicano, ni en Filosofía ni en nada, bien pudiera no ser nada ya perfecto y definible, sino ser algo en confección de la propia esencia. . . En todo caso, el sentido unitario que inequívocamente perfilan las importaciones de filosofía en México hechas a partir del siglo XVIII inclusive tiene su razón de ser en lo radical del espíritu de espontaneidad, independencia y personalidad nacional y patriótica creciente con que se han hecho, y lo radical de este espíritu es la colectiva *voluntad* de crecer o progresar precisamente en independencia y personalidad hasta la hegemonía?. . .

Pero hay más. Las importaciones de filosofía en México hechas desde dentro o con espíritu de espontaneidad, independencia y personalidad nacional y patriótica creciente, han sido tan activamente electivas y adaptativas que, llegando a la inserción de lo nacional en lo importado como protagonista de un *agón* decisivo del curso de la historia universal, lo que implica el diseño, siquiera, de una original Filosofía de la historia patria, de la cultura patria, pudieran estimarse *importaciones aportativas* por ello –*sólo*, si no hubiera lo que hay aún. . . Es que filosofías como la filosofía de la existencia de Caso y la filosofía estética de Vasconcelos, para mencionar sólo autores cuya filosofía está o puede considerarse conclusa, tienen un grado de consistencia y de originalidad plenamente igual al de muchos pensadores que figuran a niveles relativamente altos en la Historia de la Filosofía en general. Hay, pues, que concluir que las *importaciones* de filosofía en México han sido *aportativas* a la filosofía en grado no inferior al de otras muchas filosofías que figuran en la historia de la Filosofía en general por sus *relativas* aportaciones a la filosofía universal.

15. *Existencialismo* avant la lettre

Para probar la originalidad filosófica de Caso y de Vasconcelos, ha expuesto el filósofo norteamericano Patrick Romanell cómo el primero se anticipó a Bergson y cómo el segundo lo ha superado.[5] *La evolución creadora*, expresión culminante de la filosofía del *élan vital*, es de 1907; *Las dos Fuentes de la Moral y de la Religión*, exposición de la "metabiología" que de la filosofía del *élan vital* ha sacado su autor, son de 1932: ya en la edición de 1919 de *La Existencia como Economía, como Desinterés* y *como Caridad*, pasa Caso de una filosofía de "la vida como economía", título del primer capítulo, a una "metabiología" de "la existencia como caridad" título del cuarto capítulo. *Las dos Fuentes* manan para desembocar en el "misticismo completo": éste se hallaría mucho más completamente en el remate místico del sistema del "monismo estético".

Pero hay otra anticipación de Caso todavía más notable como anticipación y como prueba de originalidad filosófica: la anticipación del existencialismo. De 1916 es el mínimo opúsculo en que bajo el título de *La Existencia como Economía y como Caridad* recogió Caso la final de una serie de lecciones dadas en la Universidad Popular Mexicana durante el invierno de 1915. El "Ensayo de Cosmovisión Cristiana", como lo llama el propio autor, iniciado en aquella serie de lecciones, está prácticamente concluso en la mencionada edición de 1919, con los dos capítulos también mencionados y un segundo sobre "la ciencia como economía", un tercero sobre "el arte como desinterés" y un quinto y último de "ensayo sobre la esperanza", es decir, entre 1915 y 1919, o por los años en que Gabriel Marcel va llevando su *Journal Métaphysique*, iniciado el 1o de enero de 1914, cerrado –provisionalmente– el 24 de mayo de 1923 y publicado, naturalmente, después de esta fecha. La tercera y última edición de *La Existencia*, de 1943, añade a los cinco capítulos de la anterior uno entre el segundo y tercero de éstos, sobre "el intuicionismo y la teoría económica del conocimiento", dos, respectivamente sobre "el símbolo y la forma" y "los valores estéticos", a continuación del dedicado al "arte como desinterés", uno final de "ensayo sobre la fe" y un par de preliminares; pero si con todas estas adiciones completa sistemáticamente el "ensayo" y lo enriquece en detalle, con ninguna de ellas le agrega nada más esencial que lo contenido ya en la edición de 1919.

La referencia precisamente a Marcel se imponía, porque si hay un "existencialismo cristiano", representado por Marcel para el público internacional interesado en la Filosofía, representante no menos original y auténtico de él es Caso, aunque no lo sea ni siquiera para el público interesado por la Filosofía en su propia nación. El que Caso se inspirase desde un principio en San Agustín y en Pascal –en Kierkegaard se inspiró sólo entre 1919 y 1943– no le quita la originalidad más de lo que se la quita a los conspicuos existencialistas de nuestros días que también se han inspirado en ellos; para ver en San Agustín, Pascal, Kierkegaard. . . el existencialismo de nuestros días fueron menester ojos ya existencialistas en el sentido de este existencialismo de nuestros días. A Caso, como a Marcel, se anticipó Unamuno, cuyo *Del Sentimiento Trágico de la Vida* está fechado en 1912, y con Unamuno coincide Caso en puntos importantes; no obstante, de la lectura no se saca la impresión de que Caso deba su "cosmovisión cristiana" a Unamuno, ni siquiera en los aludidos puntos, sino una impresión bien diversa: la de que la consmovisión cristiana de Caso nació de las reacciones personales de éste al anticristianismo de Nietzsche y a otros "ismos" más o menos irreligiosos de los años de mocedad del futuro Maestro, desde luego el positivismo, y también al ambiente vaharado por la Revolución Mexicana –hay que recordar lo que dentro de ésta representa "el invierno de 1915".

Que el contenido de *La Existencia* es un contenido cristiano no ha menester aquí sino de hacer presente que cristiano sí, pero no de ninguna de las Iglesias o confesiones cristianas. Una vez más en las palabras mismas del Maestro, realmente insustituibles, por su sinceridad, precisión y belleza:

> "El cuarto evangelio es la apoteosis del amor. El cristianismo platónico, que la tradición ha atribuido a San Juan, es perdurable. Interpretando filosóficamente la piadosa tradición, hagamos del discípulo predilecto, un símbolo del *Espíritu Santo*, y digamos: el catolicismo es el cristianismo histórico, político, organizador y salvador de Europa y su cultura en los siglos medios; heredero, en lo temporal, de la forma jurídica latina, *sociedad universal de inteligencias y corazones*, cristianismo de Pedro. El protestantismo es el cristianismo germánico, individualista y sabio, enérgico y moral, adecuado al pensamiento moderno; cristianismo de libre

examen y *espiritualidad intensiva*, cristianismo de Pablo. Pero es posible aún otro cristianismo, más perfectamente esencial, una religión en la que cuanto no forma parte de su íntima naturaleza, ha desaparecido; religión desligada del aluvión de incorporaciones accesorias. La historia de la humanidad va depurando el contenido del cristianismo, volviéndolo cada vez más espiritual, más profundo y exclusivamente religioso. Toda acción contingente o accidental desaparece, y sólo queda el fondo irreductible. Cristianismo novísimo y eterno, único, triunfante; cristianismo de Juan, con sus dos enseñanzas predilectas: el amor al prójimo y la vida eterna; es decir, las tres virtudes divinas que son una sola virtud; porque como dice San Juan: *El que no ama no conoce a Dios. Dios es caridad.*"[6]

Es claro que el cristianismo del Maestro en este "cristianismo de Juan", "más perfectamente esencial", aunque carezca de Iglesia, ni siquiera sea el de confesión alguna –o no, sino por ser esto y por carecer de aquélla.

Que el contenido de *La Existencia* es todo un sistema filosófico, aunque sólo *in nuce*, existencialista en el sentido de este término de nuestros días, quizá haya menester aún de que así se muestre.

Que es todo un sistema filosófico, aunque sólo *in nuce*, bastará a mostrarlo el llamar la atención sobre el hecho de que los distintos grupos de capítulos del "ensayo" abocetan sendas versiones de las partes de la Filosofía integrantes de un sistema cabal de ésta: "vida como economía", la Filosofía de la Naturaleza; los dos capítulos sobre la ciencia y el conocimiento, la Teoría del Conocimiento, sobre la base de una Teoría de los Objetos; los tres capítulos del arte a los valores estéticos, la Estética; los tres finales, respectivamente sobre cada una de las virtudes teologales, la Etica y Filosofía de la Religión; y el conjunto, pero particularmente el primero y los tres últimos, la Metafísica. El Maestro mismo precisó, pues, con absoluta exactitud: "ensayo de cosmovisión".

Que este ensayo es una filosofía y existencialista, se infiere de las tesis a que puede reducirse el contenido esencial del ensayo y del sentido del término de nuestros días. La vida es básicamente vida biológica sujeta al principio egoísta de la economía: "máximum de provecho con mínimum de esfuerzo"; pero sobre esta base se alzan en la existencia humana el plano intermedio del desinterés artístico y el nivel sumo de la caridad, definible por el principio abnegado del sacrificio: "máximum de esfuerzo con mínimum de provecho". La acción caritativa es la acción buena. La voluntad que la quiere, no por deber, sino por entusiasmo, palabra que quiere decir estar en posesión de algo divino, poseyéndolo por ser poseso de ello, es la buena voluntad. El principio por el que es definible la caridad es tan contrario al principio al que está sujeta la vida biológica, que si ésta representa el orden de la naturaleza, la ejecución de una sola acción caritativa bastaría para saber por experiencia de la existencia de un orden sobrenatural, constituido por las acciones buenas de las buenas almas humanas. El saber por experiencia de la existencia de este orden sobrenatural de lo bueno, del Bien, no basta, sin embargo, para dar la certeza "científica" de la perduración de este orden, en la inmortalidad de las buenas almas humanas –y de ellas solas; pero sí para dar la esperanza de esta perduración, de esta inmortalidad, esperanza que a su vez da la fe en ella. De la moral depende, pues, la religión, y la metafísica, y no a la inversa. En las acciones buenas ejecutadas por las buenas almas humanas, en estas mismas, esperanzadas y creyentes en su inmortalidad, reside la "personificación" del Bien en el Bueno, en Dios. Estas tesis bastan para mostrar que resumen una *Lebensanschauung* conducente a una *Weltanschauung* metafísica, articulada conceptual y discursivamente, o sea, una filosofía en el más auténtico sentido tradicional de la palabra. Los orígenes kantianos de ella resultarán patentes –pero también lo original de ella relativamente a la del mismo Kant. En todo caso, se trata de una filosofía existencialista en el sentido más riguroso dado a este término en nuestros días, si este sentido es el de un filosofar que toma por punto de partida la existencia humana en lo más peculiar de ella (su esencia, su ser, ontología fundamental) para llegar a una *Weltanschauung*, una metafísica (ontología general y teología o ateología, racionalista o irracionalista); y que tiene su centro en una concepción de lo más peculiar de la existencia humana y de la consiguiente conexión de ésta con lo que haya más allá de ella mediante categorías –o "existenciarios"– de indeterminismo ontológico y gnoseológico, como son realmente los conceptos centrales de Caso: la contingencia de la ejecución de la acción buena, la incertidumbre "científica" de la esperanza y de la fe.[7]

También se puede hablar de existencialismo en Vasconcelos, aunque en otro sentido. Vasconcelos es enemigo jurado de todo idealismo trascendental, de todo "eidetismo", de todo "esencialismo". De Husserl, y las distintas reacciones contra éste, desde Heidegger hasta Vasconcelos, no pueden menos de seguir direcciones, si no convergentes, paralelas. De Hegel, a pesar de que el idealismo "objetivo" de éste quiere ser una filosofía del mundo fenoménico concreto en su fenomenicidad y en su concreción. Ni el divino Platón atrae una simpatía sin reservas del Maestro mexicano. Es que éste piensa que a todo conocimiento puramente eidético o de las esencias del mundo se le escapa éste en su realidad misma, la "arquitectura en movimiento" de sus entes individuales, singulares –y esta realidad es lo que el Maestro mexicano siente el afán irreprimible de conocer, no ya en el solo sentido gnoseológico, sino en el mismísimo sentido bíblico de la palabra, para lo cual necesita de un órgano más que puramente gnoseológico, que encuentra en la estética y la mística. Aquel antiesencialismo tiene, pues, una vez más el "esencial" correlato de la afirmación de los entes en su real, individual, singular, pero también trabada existencia, y de la invención del método "irracionalista" y "practicista" –por no decir "pragmatista"–, único potente para poseer los entes en esa su existencia: un existencialismo, si no en el sentido de la negación absoluta de las esencias, a la que no llega Vasconcelos, sí en un sentido cercano a aquel en que algunos tomistas de nuestros días se esfuerzan por presentar la filosofía de Santo Tomás como una filosofía de la existencia, y aun la más rigurosa y por ende más auténtica de todas, por incidir entera en explicar el *esse* de los entes creados, realmente distinto de su *essentia,* por el acto creador del Ente cuya *essentia* es el *esse.* [8]

16. *La doble originalidad de la filosofía mexicana*

El contenido de los párrafos anteriores fuerza a reconocer en la filosofía mexicana una originalidad doble.

Existen filosofías originales de mexicanos, en el doble sentido de debidas a mexicanos y de nuevas relativamente a las debidas a no mexicanos, en los mismos grados en que éstas son nuevas las unas relativamente a las otras según su dirección y su tiempo: los escolásticos mexicanos refunden y repiten como los escolásticos en general; los eclécticos mexicanos eligen y funden como los eclécticos también en general: los filósofos mexicanos de nuestros días elaboran, sobre la base de unos u otros clásicos y siguiendo a unos contemporáneos y coincidiendo con otros, filosofías tan personales por lo menos como las de tantos de éstos tratados o mentados en la Historia de la Filosofía contemporánea en general.

Pero no consiste en el doble sentido indicado la doble originalidad anunciada. Esta consiste en la puntualizada en el aparte anterior y en la que se va a puntualizar en el presente. Las filosofías originales de mexicanos integran una filosofía mexicana original relativamente a las demás filosofías tradicionalmente calificadas o fundadamente calificables con un gentilicio asimismo de nacionalidad. Esta segunda originalidad presupone, pues, aquella primera, pero no se agota en ella. Si no existen filosofías originales de filósofos de una nacionalidad, tampoco existe una filosofía calificable con el gentilicio de esta nacionalidad; pero las filosofías originales de los filósofos de distintas nacionalidades presentan rasgos por los cuales se distinguen las de los filósofos de cada nacionalidad de las de los filósofos de las demás nacionalidades: rasgos, pues, al par *típicos* de las filosofías de los filósofos de cada nacionalidad y *característicos* de las filosofías de los filósofos de cada nacionalidad a distinción de las filosofías de los filósofos de las demás nacionalidades. Así, son lugares comunes el eidetismo de la filosofía griega, el racionalismo de la francesa, el empirismo de la inglesa, el pragmatismo como filosofía peculiarmente norteamericana, y se podría señalar la índole "trascendental" de las filosofías alemanas, desde las idealistas clásicas hasta las existencialistas de nuestros días, en el sentido de que todas persiguen condiciones subjetivas, en alguna acepción, de posibilidad de algo, o también en alguna acepción, objetivo.

La primera originalidad queda dentro del ámbito de la historia de la filosofía –y, por último, de la Historia de la Filosofía. La segunda originalidad se presenta como parte de la originalidad de las culturas relativamente unas a otras o como objeto de la Filosofía de la Cultura. Para justipreciar la primera originalidad en la filosofía mexicana ha resultado necesaria una articulación de la historia de esta filosofía mediante categorías autóctonas de ella, dentro de una revisión crítica no sólo de la Historia de la Filosofía en general, sino incluso de la Historia de las Ideas, más en general aún. Para justipreciar la segunda originalidad en la misma filosofía no resultará necesario precisamente mucho menos. De inmediato se presenta como diferente según los distintos términos de comparación posibles. La filosofía de los países hispanoamericanos y de España presenta rasgos típicos de toda ella: la preferencia por los temas y problemas sueltos sobre los sistemas, por las formas de pensamiento y de expresión más libres y bellas sobre las más metódicas y científicas, el gusto por las orales, el "politicismo" y el "pedagogismo" distintivos de los "pensadores", categoría peculiar de la cultura de estos países.[9] Estos rasgos la unifican, pues, caracterizándola a diferencia de las filosofías de los países "clásicos" de la filosofía, la antigua Grecia, las modernas Italia, Francia, Inglaterra, Alemania, para nombrarlos en el orden de su sucesiva hegemonía en el mundo de la filosofía. Consecuencia: la distinción o diferenciación de cualquiera de las primeras, mexicana, argentina o española, respecto de las segundas, parece más patente y hacedera que la de dos cualesquiera de las primeras entre sí. Desde el principio de este trabajo se hizo una indicación en este sentido. Y así, por ejemplo, el modo de elegir o módulo de preferencias filosóficas en que se sentía la tentación de decir que consistiría fundamentalmente lo mexicano en Filosofía (∫ 14), quizá no sea exclusivo de México: en el mismo sentido que éste han elegido en materia de Filosofía otros países hispanoamericanos en que también se han sucedido escolástica, eclecticismo. . . positivismo, bergsonismo. . . La distinción o diferenciación de la filosofía hispanoamericana respecto a la norteamericana resulta complicada por el ser cada una de las dos peculiar a su manera relativamente a aquellas filosofías de los países "clásicos" de la filosofía. Para resolver todos los problemas que plantean los hechos que se acaban de apuntar, se encuentra en peor situación aún que aquella en que se encontraba para resolver los suyos la Historia de la Filosofía en México, no ya la Filosofía de la Cultura Mexicana, sino incluso la Filosofía de la Cultura Americana; y no porque estas disciplinas no existan, o apenas, sino porque la que existe, la Filosofía de la Cultura en general, es, a pesar de este nombre, en realidad, una Filosofía de la Cultura europea y de la restante humana, cuando lo es, vista desde la europea: o ya culturas enteras, como precisamente las de los países hispanoamericanos, aborígenes y posteriores, no existen para ella, o ya ella no cuenta con categorías adecuadas para estas culturas, por ejemplo, "cultura criolla". En la Filosofía de la Cultura existente anda Asia mejor que América, salvo un tanto los Estados Unidos. El encuentro de Oriente y Occidente ha preocupado a los filósofos europeos antes que a los norteamericanos. La América del Sur –al Sur de los Estados Unidos– ha preocupado a ciertas especies de sabios o investigadores de ambos mundos, pero no a los filósofos *stricto sensu* de ninguno de ambos, con excepción de algunos de la propia América del Sur, tampoco de todos. Mas la situación está cambiando. En todo caso, labor no menos importante y urgente que la de llevar a término la cabal Historia de las Ideas en México es la de dar comienzo a una Filosofía de la Cultura apta para hacer justicia a culturas como las integrantes de la mexicana.

17. *De la negación a la afirmación de la existencia de la filosofía mexicana*

En vista del contenido de los parágrafos anteriores, no se puede menos de considerar la negación de la existencia de una filosofía original de mexicanos y original relativamente a la original de no mexicanos como la negación de un hecho –y una negación semejante plantea el problema de sus "motivos", que no "razones", pues que, siendo la única "razón" de la negación de la existencia de un hecho su inexistencia, han de ser "sinrazones", que "mueven" a los hombres tanto como las "razones", si no más.

El motivo no es la absoluta ignorancia de la filosofía de mexicanos. Seguramente que la mayoría de los historiadores de la filosofía contemporánea que ni siquiera mientan a un Caso y un Vasconcelos ignoran hasta estos nombres; pero algunos podrían saber más o menos de semejantes Maestros, y sin embargo ni siquiera los mientan. . . Seguramente, también, que los libros de Historia de la Filosofía Universal publicados por mexicanos, entre ellos los dos Maestros acabados de nombrar,[10] y los libros de Historia de la Filosofía, del Pensamiento, de las Ideas en México no son más conocidos que la filosofía mexicana; pero el conocimiento de ésta que puede lograrse por medio de ellos depende de la figura hecha en ellos por aquélla. . . En cualquier caso, no todos los que niegan la existencia de una filosofía de mexicanos que sea original relativamente a la de no mexicanos, ignoran en absoluto la primera; más bien lo contrario: todos los que niegan la existencia de una filosofía de mexicanos que sea original relativamente a la de no mexicanos, ignoran esta originalidad, pero deben esta ignorancia a un conocimiento sólo "relativo" de la filosofía de mexicanos, a saber, insuficiente para reconocer su originalidad, suficiente para poder negar ésta.

Este conocimiento sólo relativo de la filosofía de mexicanos y la negación de la originalidad de ésta se mueven entre paradójicos extremos. No es que se estudie y critique la filosofía de mexicanos lo mismo que la de no mexicanos y que el resultado sea el negativo de referencia, de suerte que para lograr el correspondiente resultado positivo fuese menester estudiar y criticar la filosofía de mexicanos a su modo; es justo todo lo contrario: que no se estudia y critica la filosofía de mexicanos lo mismo que se estudia y critica la de no mexicanos. No se "estudia" la filosofía de mexicanos, como se "estudia" la de no mexicanos; pero, en cambio, se aplican mucho más rigurosamente que a ésta a aquélla los criterios de originalidad y de la Filosofía: si se aplicasen a la filosofía de no mexicanos con tanto rigor como se aplican a la de mexicanos, se descubriría, con decepción o con satisfacción, en todo caso con sorpresa y admiración, que ni los más grandes filósofos son tan sistemáticos ni metódicos como se piensa o se dice y que la mayoría de los menores no son más originales relativamente a los más grandes ni entre sí que los mexicanos relativamente a unos y a otros y también entre sí. Esta manera de no estudiar ni criticar la filosofía de mexicanos lo mismo que la de no mexicanos es precisamente lo que da por resultado la negación de la originalidad de la primera relativamente a la segunda. El estudiar y criticar la primera lo mismo que la segunda da por resultado más bien el de los parágrafos anteriores del presente trabajo.[11] La negación de la originalidad de la filosofía de mexicanos no es subsecuente al "estudio" de ella, sino previa a él. Es precisamente lo que disuade del "estudio" que la reconocería. Y lo que ha sugerido la idea de estudiarla y criticarla a su modo para lograr el correspondiente resultado positivo, idea que implica realmente la de que estudiarla y criticarla lo mismo que la de no mexicanos es lo que da o daría el resultado negativo. Y aquello con que se justifican para ni siquiera mentarla los obligados por deber profesional a conocerla y tratarla. Y aquello con lo que los mexicanos mismos han cooperado a todo lo anterior por parte de los no mexicanos.

Tan paradójicos extremos no tienen a su vez los motivos en nada específicamente relativo a la filosofía mexicana, sino en toda una situación histórica.

La ignorancia de la filosofía hispanoamericana no es privativa de los países europeos; en los hispanoamericanos no se conoce como debiera el pensamiento de los demás. La cultura europea se cultiva en los países hispanoamericanos más que la de los demás de ellos, si no más que la propia. La dependencia política en que América estuvo de Europa y la cultural en que ha estado hasta nuestros días, generalizó no sólo en Europa, sino en esta misma América, ya una ignorancia, ya un menosprecio de la cultura americana, que han ido mucho más allá de cuanto en otros días pudo estar justificado. Caso singular del imperialismo cultural de Europa a que ya se hubo de hacer referencia.

Las relaciones entre el poder político de los países y su cultura son complejas. A la hegemonía política acompaña la cultural –en casos. El poder político puede arbitrar recursos que fomenten la cultura y ésta puede suministrarlos a aquél: aprovechamiento de los servicios de los sabios europeos por los Estados Unidos en los últimos años. La dependencia política puede poner trabas al desarrollo cultural y éste promover la independencia política: España veda entrada e impresión de libros en sus colonias americanas, a pesar de lo cual los progresos de la cultura en éstas son antecedente positivo de su independencia. Pero en otros casos no han andado juntas ambas hegemonías. Pueblos hegemónicos políticamente no lo son en la cultura: Roma, culturalmente apéndice de Grecia, con todo y sus creaciones más originales e importantes, como el derecho. Otros pueblos llegan a la hegemonía cultural sin llegar a la política: Alemania en los días de sus glorias clásicas y en los nuestros hasta el de hoy. La hegemonía cultural es en parte cuestión de densidad de creadores de cultura, y ésta a su vez de densidad de población en posible función del poder político. Sin embargo, el sumo creador de cultura puede darse como caso aislado, y hasta en un medio político o cultural al que puede ser muy ajeno por naturaleza o que puede estar muy a desnivel de su altura. El miembro de una familia de judíos oriundos de un país y refugiados en otro, cuya lengua no llega a dominar nunca, puede llamarse Spinoza. El máximo poeta de toda una época de una de las grandes literaturas del mundo puede nacer en Metapa de Nicaragua. Las cosas humanas no están sujetas a leyes como aquellas a que lo están las naturales –y las puramente ideales. Por lo mismo, las ciencias exactas y naturales disponen de criterios de valoración más independientes de las circunstancias humanas que las disciplinas humanas. Ellas mismas son más independientes de tales circunstancias que las disciplinas cuyo apellido es índice de su dependencia de éstas. A pesar de todo lo cual, no sólo se tiende a sobreestimar la cultura toda de los países circunstancialmente más poderosos, sino a menospreciar igualmente toda la de los que lo son menos en las mismas circunstancias. Y ello así en los primeros como en los segundos. La necesidad de contar con los poderosos, que afecta tanto a estos mismos cuanto a los que no lo son, vuelve la atención de cada uno de los poderosos hacia los demás y hacia todos ellos la atención de los que no son poderosos. Aunque también es regla la complacencia de cada uno de los poderosos en sí mismo y no excepción única el orgullo nacional por el caso aislado, como el de España por Cajal. Por algo se empezó diciendo que las relaciones entre el poder político de los países y su cultura son complejas. Mas, en general, los juicios de valor pronunciados por los miembros de los países hegemónicos culturalmente son repetidos por los miembros de los demás, aun en los casos de injusticia: es un ingrediente de la hegemonía de los primeros países sobre los segundos. En particular, los miembros de los primeros tienden a ignorar la cultura de los segundos y los miembros de éstos a cultivar más la cultura ajena que la propia. Resultado es un círculo en que la ignorancia de la cultura de los países poco o nada poderosos políticamente por los miembros de los que lo son más autoriza a los miembros de los primeros a un menosprecio y descuido de la propia que a su vez justifica a los ojos de los segundos su ignorancia. Finalmente, el poder tiene entre los hombres un prestigio inmune a las variaciones de la distancia, mientras que la cercanía corroe lo no prestigiado por el poder –y así, los estudiantes mexicanos de Filosofía no suelen pensar en buscar ni siquiera en los máximos filósofos de su país lo que suelen creer encontrar incluso en mínimos profesores de la disciplina, pero que, ah, el uno es de la Sorbona, el otro ni de Academia de historia tan egregia.[12]

Mas la situación está cambiando y a gran velocidad. Por lo pronto, de hecho. La Europa política y culturalmente hegemónica hasta hace unos años, desde ellos ha perdido la hegemonía política y está en trance de perder la cultural. El país americano que la ha reemplazado en la hegemonía política es el gran beneficiario del cambio incluso en los dominios de la cultura. Sus filósofos son los mismos que hace un cuarto de siglo, pero mucho más tenidos en cuenta que hace un cuarto de siglo dentro de la filosofía y sobre todo fuera de ella. Pero del cambio no dejan de ser beneficiarios menores los demás países de América. La solidaridad panamericana les hace sentirse parte de la América que parece haber empezado a convertir en presente su pasado destino de futuro del mundo. Pero aunque no existiese la solidaridad panamericana, algunos de ellos, por lo menos, se sentirían señeramente crecidos frente a Europa: les bastaría contemplar el espectáculo presentado por ésta y experimentar los pujes de su propio desarrollo. Mas del cambio no se dan cuenta sólo los americanos; se la dan también los europeos, aunque, naturalmente, les cueste más trabajo: porque el darse cuenta del cambio no es simple reflejo de él, sino factor de él. Pero los países americanos harían mal en contentarse con el cambio de hecho. Sólo harán bien esforzándose por lograr el cambio de principios: la superación, que lo sería, de la sumisión de las valoraciones culturales a las políticas por una emancipación de las primeras respecto de las segundas. Tema importante para la Filosofía de la Cultura americana propugnada al final del parágrafo anterior. Al menos los países hispanoamericanos únicamente así serían fieles a la utopía concebida para norte de su historia por sus pensadores.

18. *Sinopsis categorial*

Lo expuesto en los dos parágrafos anteriores significa que las categorías con que en los parágrafos 12 a 14 se ensayó articular la historia de la filosofía mexicana requieren un complemento. Las categorías propuestas en aquellos parágrafos han de enmarcarse en otras más amplias.

No hay sólo un período colonial y otro de independencia, entendidos en sentido político. La independencia política respecto de España no fue acompañada de la independencia cultural respecto de Europa. Esta independencia sólo en la actualidad se incoa. Hay, pues, que modificar aquellos períodos en el sentido de un período de colonia política de España y cultural de Europa y otro período, de independencia política y colonia cultural de Europa, y que incluir ambos en una época de la colonia política y cultural o sólo cultural de Europa, a la que oponer la época de la independencia política y cultural respecto de Europa que se incoa en la actualidad.

Estas modificaciones y complementos a la división primeramente propuesta hacen notar que hay distintas especies de coloniajes e independencias: políticos y culturales. Y el notar esto, hace reparar en lo distinta que de todas las independencias posteriores a la conquista es la independencia anterior a ella: aunque sólo fuera porque no es precisamente lo mismo ser liberto que ingenuo, ni civil, ni política, ni culturalmente. Hay, pues, que incluir a su vez las dos épocas antes opuestas en una edad posterior a la conquista, a la que anteponer una edad anterior a la conquista –en la que se plantea el problema de la existencia de la filosofía. La solución depende de los sentidos de este término. Pero si, en vista de alguno, por lo menos, de ellos, la solución del problema es afirmativa, se plantea el nuevo problema de la influencia de la filosofía de la edad anterior a la conquista en la de la edad posterior.[13]

En suma, he aquí una sinopsis de todas las categorías hasta aquí propuestas para articular la historia –y la Historia– de la filosofía, del pensamiento, de las ideas en México.

Edad anterior a la conquista.
Edad posterior a la conquista.
- Epoca de la colonia política y cultural o sólo cultural de Europa.
  - Período de la colonia política de España y cultural de Europa.
    - Importación desde fuera o con espíritu de metropolitano o de colonial.
  - Período de la independencia política y la colonia cultural de Europa.
    - Importación desde dentro o con espíritu de espontaneidad e independencia nacional y patriótica.
      - Importación electiva.
        - Inserción en lo nacional.
        - Inserción de lo nacional.
      - Importación aportativa.
- Epoca de la independencia política y cultural respecto de Europa.

Estas categorías son susceptibles de perfeccionamiento por rectificación y, quizá sobre todo, mayor detalle, pero ellas u otras análogas parecen de obligada aplicación en la Historia de la Filosofía, del Pensamiento, de las Ideas en México,[14] a la que es punto de volver de nuevo más directamente.

19. *El cultivo de la Historia de las Ideas en México*

Es un hecho. El primero de los dos hechos punto de partida del presente trabajo. Perfectible en el sentido de lo expuesto y propuesto hasta aquí. Y aún de lo que se va a decir para concluir esta primera parte del trabajo.

El hecho tiene sus razones de ser –esta vez son "razones", aunque algunas sean "motivos" y hasta intereses.

Desde luego puede invocarse la originaria de toda "historia", según la "teoría" más venerable de todas: el afán de saber –la "filosofía". Pero aun concediendo a esta teoría que el afán de saber sea por sí solo bastante para mover a "historiar", no es bastante específico para dar razón del historiar las ideas en México. Mejor es aducir las razones efectivas, que resultarán la debida mezcla de específicas y universales, partiendo de las más modestas para llegar a las más importantes.

A los jóvenes en busca de temas de tesis para graduarse en Filosofía pudo recomendárseles el preferirlos de Historia de las Ideas en México por algunas razones, reducibles en definitiva a dos cardinales. Es imprudente no atenerse a lo asequible con los medios disponibles: libros y en general documentos materialmente al alcance, lenguas "legibles", circunstancias conocidas por experiencia directa con las que comprender y explicar lo rodeado de ellas. Una tesis sobre alguna figura del eclecticismo antiguo, para estar a tono con Alemania, donde se recomendaba dejar los trillados temas de la Grecia clásica por los incultos y prometedores del mundo helenístico-romano, requiere leer el latín y el griego, disponer no ya de inéditos, sino de publicaciones de que no se dispone, y a lo mejor saber arqueología siríaca. Es más fácil y segura una tesis sobre el eclecticismo de los siglos XVII y XVIII: todos los libros indispensables acaban por encontrarse en las bibliotecas nacionales; basta leer el latín o lenguas modernas, de las que entran en los planes de enseñanza más generalizados; y se puede contemplar arte barroco o neoclásico y participar en el culto católico o protestante de paso para el lugar de trabajo o en este mismo. Y la Historia es, comparada con la Filosofía pura, como la tierra comparada con la Bolsa: los lucros de Bolsa y Filosofía son especulativos y azarosos; los frutos de tierra e Historia recompensan mucho más seguramente el cultivo, el trabajo. Es experiencia de seminario de Historia de las Ideas la de que sus miembros pasen por dos etapas comparables a algunas de la experiencia mística. En el principio la desolación, la sequedad del no servir el tema, porque no da de sí nada, ni para desarrollarlo se encuentra nada. Pero se persevera en el trabajo y sobreviene el desbordamiento, el no saber qué hacer con el material acumulado, cómo manejarlo, ordenarlo, encuadrarlo. Quien pensara no tener para doscientas cincuenta páginas con la historia entera de un "ismo" en México, las llena con la historia del "ismo" durante un decenio o con una figura representativa del "ismo". La "realidad" prolifera, como bajo la reja surcante, bajo el ojo atento; y aún más que bajo aquélla, bajo éste: en el detalle indefinidamente escrutable de su textura infinita. Las "ideas" son volanderas, hay que cazarlas al vuelo, y no todos los espíritus, sino los menos, son suficientemente ingrávidos, alados y cetreros para cazas de altanería. Pero una cosa es dirigir la "investigación" hacia la circunstancia inmediata y otra no cuidarse en absoluto de la Historia de la Filosofía, del Pensamiento, de las Ideas, en general. Conocer esta Historia y hasta investigar la historia correspondiente es indispensable a la investigación de la historia de la filosofía, del pensamiento, de las ideas en México, por las relaciones de esta historia con aquélla, y para ver estas relaciones bajo el punto de vista mexicano, tan justificado, por igualmente humano, como el de cualquier otra nacionalidad. Y se debe *exponer* la historia de la filosofía, del pensamiento, de las ideas en México en sus relaciones con la correspondiente historia en general vistas bajo el punto de vista mexicano, y aun la historia de la filosofía, del pensamiento, de las ideas, en general, con la correspondiente mexicana en su sitio bajo el mismo punto de vista, para que lleguen a conocerse y justipreciarse internacionalmente la filosofía, el pensamiento, las ideas mexicanas o habidas en México.

No sólo los jóvenes, sino los maduros afanosos de crear una filosofía mexicana –sobre el supuesto, más explícito o más inconsciente, de no haberla– se han vuelto hacia la historia de la filosofía en México espontáneamente, aunque algunos de los jóvenes hayan entrado después en dimes y diretes con compañeros de generación por mor de si la Historia sin Filosofía y la Filosofía sin Historia sirven o no sirven para una filosofía de ente tan histórico como el mexicano. La espontaneidad de aquella vuelta fue debida a dos razones tan potísimas como las esenciales relaciones existentes entre la Filosofía y la Historia de la Filosofía, ambas en general, y en especial el esencial "historicismo", no sólo la esencial "historicidad", de toda filosofía del ente esencialmente histórico.

Si los negadores de la existencia de una filosofía mexicana, a pesar de ello han cultivado la Historia de la Filosofía en México, ha sido por pensar que ésta da a conocer una parte de la historia de México y que éste debe conocerse a sí mismo lo más íntegramente posible: más en general, el cultivo de la Historia de las Ideas en México es medio de conocerse cada vez más auténticamente a sí mismo este país. Pero no sólo de conocerse, sino también de revalorarse más justamente, como bien puede colegirse del presente trabajo. Ni sólo de conocerse y revalorarse, sino, y más fundamentalmente, de seguir confeccionándose, perfeccionándose a sí mismo históricamente. Del actual cultivo de la Historia de las Ideas en México es la razón más ancha y honda el proceso de conocimiento de sí mismo, propia estimación y confección y perfección de sí propio en que existe históricamente México en el mundo de nuestros días. Proceso sobre el espíritu animador del cual se dirá lo pertinente en más adecuado lugar (en la segunda parte) del presente trabajo.

20. *La "historización" de la Historia*

Gamarra murió en 1783. En vida de él lo mientan en sus escritos o los componen sobre él Granados y Gálvez, Tresguerras y Quixano Zavala, aunque éste bien pudiera ser el propio Gamarra. Con estas menciones y escritos puede agruparse la necrología publicada por Alzate en su *Gaceta de Literatura* de 1790. Luego, un siglo según parece de olvido, interrumpido sólo por los artículos bibliográficos de Beristáin y de Dávila, hasta el primer centenario de la muerte del filipense. En el año del centenario se inicia la publicación de la serie de referencias o trabajos de Sosa (el 83), León (el 84), Rivera (el 85), José Fernando Ramírez (el 88) y García Cubas (el 89). Una década larga más de olvido y otra igual de nuevo recuerdo: si no fuese por León (en 1902), abierta y cerrada por Valverde Téllez (en 1904 y 1913, respectivamente) y en el medio Osores (en 8), Leduc y Lara Pardo (en 10) y José Toribio Medina (en 11). Un cuarto de siglo de nuevo olvido interrumpido fugazmente al cabo de su primer tercio (en 1921 y 22) por Romero Flores y Loureda. Quince años más, y de 1937 a 1944, el año anterior al del segundo centenario del nacimiento del filósofo, Vasconcelos (en 37), de la Maza (en 39), Alfonso Méndez Plancarte (en 39 y 40), Agapito Ramírez (en 41), Caso, O'Gorman (dos veces), Ramos y Fuentes Galindo (en 43) y Victoria Junco (en 44).[15]

Ejemplo muy "externo", pero precisamente en su "exterioridad" muy expresivo, de la "historicidad" de la fama, en vida y póstuma. Lo "interno" o "íntimo" fuera investigar, no sólo las razones o motivos de las rememoraciones o conmemoraciones y los olvidos alternantes, que en casos se traslucen a través de la "exterioridad" misma de la serie –ocasiones centenarias de los recuerdos, no estar México para centenarios en el primero del nacimiento–, sino el sentido todo de las rememoraciones y conmemoraciones de cada grupo de ellas. Porque la "historicidad" de la fama consiste fundamentalmente en la cambiante memoria de los respectivos pasados que van teniendo cada uno de los sucesivos presentes y que con éstos mismos en su integridad van constituyendo la historia misma.

La historia misma es memoria y olvido, según se apuntó ya en el ∫5. La historia misma es memoria y cambiante, aunque no fuese más que porque cada uno de los sucesivos presentes tiene que hacer memoria de un momento más de pasado, con lo que la memoria histórica –que como humana es finita, o que por ser de ente finito o no divino es precisamente memoria y no puro presente y presencia–, para poder ir cargándose de pasado reciente, tiene que ir descargándose de pasado más o menos remoto.

De la memoria que es la historia misma es la especialización profesional la Historia. Del cambio, de la historicidad de la memoria histórica son efecto y reflejo los de la Historia. No hay sólo nueva historia para la Historia –de 1948 acá la historia del Hiperión para la Historia de la Filosofía Mexicana– y con ello más Historia, sino de la misma historia nueva Historia –las menciones, escritos, referencias y trabajos del ejemplo inicial de este parágrafo–, y con la Historia de más y la nueva Historia historia de la Historia; ni sólo de la historia Historia –los dos ejemplos anteriores–, sino Historia de la Historia, memoria de sí misma de la Historia –la *enumeración* de las menciones, escritos, referencias y trabajos del ejemplo inicial de este parágrafo es un embrión de Historia de la Historia de Gamarra, de una partícula de la Historia de la Historia de las Ideas en México.

La Historia de las Ideas en México la inicia Eguiara y Eguren en los "Prólogos" de su *Biblioteca Mexicana*, singularmente en el XVIII, la continúan Maneiro, con parte de sus *Vidas de Mexicanos*, y los otros jesuítas del XVIII biógrafos de pensadores mexicanos coetáneos y correligionarios, y ya en nuestros días la fundan, como especialidad bibliográfica Valverde Téllez, como especialidad histórico-filosófica Ramos, como parte de la Historia de la Filosofía Universal Caso y Vasconcelos. Lo que confirma que la Historia de las Ideas, que la Historia en general, tiene historia, es parte de la historia, y por ello puede y debe tener Historia, parte de la Historia una: la primera cláusula de este aparte acaba de ser un embrión de Historia de la Historia de las Ideas en México. La Historia de las Ideas de México debe, pues, "historizarse", esto es, hacerse objeto de una Historia de la Historia de las Ideas en México bien cabal. La Historia de las Ideas en México debe completarse con la Historia de la Historia de las Ideas en México,[16] en las mismas relaciones, de conocimiento, investigación y exposición, con la Historia de la Historia de las Ideas en general que las indispensables o debidas de la Historia de las Ideas en México con la Historia de las Ideas en general (∫19).

No por puro gusto de complicar, que no de completar, las cosas; sino porque éstas son complicadas y requieren que se las complete precisamente en su complicación.

Ninguna Historia, ni especial ni la Historia en general, la Historia una, puede escribirse sino *en* y por lo tanto por el presente actual de su propia historia, de la historia de la Historia. Ni este presente puede cobrar y lograr la debida conciencia plena de sí mismo sino *en* y *por* su Historia de la Historia anterior. Esta Historia anterior sólo existe en cuanto subsiste o persiste en el ser leída y entendida por los sujetos actuales, que la leen y entienden bajo los respectivos puntos de vista (que se especificarán en el aparte siguiente): así, la Historia de las Ideas en México *es*, en este momento, exclusivamente la inteligencia que de las Historias anteriores del mismo asunto y de éste directamente tienen los actuales lectores de aquellas Historias e historiadores del asunto. Elevar esta inteligencia a Historia, sintetizando la Historia anterior en una Historia de la Historia, es el ideal que pone el remate al ideal de la Historia una. Este ideal, de la Historia de la Historia, revela mejor aún que las otras manifestaciones de la historicidad de la Historia –de la misma historia nueva Historia, historia de la Historia– que la Historia es obra sin más término que el de la vida individual y el de la historia de la especie. Mas toda esta historicidad de la Historia tiene su razón de ser en la historicidad que es la historia misma.

Cada sucesivo y presente tiene ojos relativamente nuevos y que en cuanto tales constituyen un punto de vista relativamente nuevo: de este punto de vista es correlativa una perspectiva asimismo relativamente nueva. Dentro de cada sucesivo presente se distinguen los individuos con sus ojos y puntos de vista relativamente distintos en cuanto ingredientes constitutivos de las distintas individualidades y con las perspectivas relativamente distintas en cuanto correlativas de tales ingredientes. Es más: en cuanto que los individuos son cambiantes con los sucesivos presentes de sus vidas, van cambiando con ellos sus puntos de vista y las correlativas perspectivas a lo largo de sus vidas (extremo de la historicidad). Lo visto en tan complejo "perspectivismo" no se reduce a lo presente, sino que se extiende a los respectivos pasado y futuro de cada sucesivo presente: así, cada sucesivo presente, cada individuo en sucesivos presentes de su vida ven *a su manera* los *respectivos* pasados y futuros.[17] No hay, pues, sólo *comprensión* del presente por el pasado y del futuro por ambos, sino también del pasado por y en el presente y de ambos por el futuro previsto y querido por y en el presente. Esta es la razón de ser de la dependencia respecto de las ideas preconcebidas, prejuicios y simpatías y antipatías previas encontrada más de una vez en el primer capítulo del presente trabajo. Pero hay más. Tampoco sólo cada uno de los sucesivos presentes de la historia es obra del respectivo pasado y cada uno de los futuros que advienen a presentes obra del presente anterior, sino que *el pasado es obra de cada uno de los sucesivos presentes en vista de los respectivos futuros*, y *en cuanto "en vista de" éstos, el pasado y los sucesivos presentes obra de los respectivos futuros mismos.* El presente histórico es obra de sus propias pretensiones. Y el pasado histórico no es inmutable. Porque no es absolutamente pasado. Porque si lo fuera no tendría realidad alguna. La realidad del pasado está en lo que, aun siendo pasado, tenga todavía de real, de presente en el presente. Esta su presencia en el presente consiste parcialmente en estar constituido parcialmente por el presente mismo. Por ello muda con éste. Ejemplo. Supóngase que los jóvenes "hiperiones" protagonistas de la historia de la filosofía mexicana en este presente llegan a ser plenamente lo que prometen, grandes filósofos: Caso, Vasconcelos, Ramos no sólo serán *vistos*, sino que *serán* realmente –porque en historia el ser visto es el ser, es aquello de que en todo esto precisamente se trata– los iniciadores de una gran época de la nunca más *como* hasta hoy discutible filosofía mexicana. Supóngase que los mismos jóvenes acaban en niños prodigios que no cumplen lo que prometen: Caso, Vasconcelos, Ramos no sólo serán *vistos*, sino que *serán* realmente como unos luchadores esforzados, pero vencidos, por la existencia de la filosofía mexicana, que seguirá siendo tan discutible como cuando más lo haya sido. Ah, jóvenes hiperiones, qué responsabilidad histórica la vuestra, de responsables de la historia de la cultura patria no sólo hacia el futuro, sino también hacia el pasado de los padres venerables sin el culto de los cuales carece el hombre de padre conocido. Juntos con vosotros arraigarán en la historia o correrán aún peligro de ser arrancados de ella vuestros padres espirituales.

Porque así rehacen constantemente el pasado, el presente y el futuro, la historia de la filosofía mexicana, la filosofía mexicana misma, ha sido, es, será, o no, obra de la Historia de la Filosofía Mexicana. El mismo Kant no sería todo lo que *es* históricamente, si de él no hubiesen hecho lo que hicieron Fichte, Schelling, Hegel. . . hasta lo que vienen haciendo los neokantianos de nuestros días, incluyendo expresamente a los mexicanos. La filosofía francesa no sería todo lo que *es* internacionalmente, si de ella no estuviese haciendo infatigablemente lo que haciendo está el patriotismo de los franceses –modelo de este patriotismo de la cultura–, que hacen la Historia de ella en tratados, en monografías, en libros de texto, en ensayos, en artículos, en notas bibliográficas, en lecciones de cátedra, en conferencias, en congresos nacionales e internacionales, en cafés y *boîtes de nuit*, haciendo valer desde luego en todo momento a un Bergson y a un Sartre, pero también en toda ocasión propicia a un *monsieur tel*, profesor de la Universidad *x* o del Liceo *z*.

No hay filosofía mexicana –no en la medida en que faltan

mexicanos autores de filosofías originales relativamente a las de autores no mexicanos, que no faltan: no hay filosofía mexicana *en la medida* en que no hay Historia de la Filosofía Mexicana– en vez de negación de la existencia de una filosofía mexicana.

Esto es decir redondamente que, no sólo la Historia, sino la misma historia la hacen *en parte* los historiadores, y si la historia es de las ideas, la parte de los historiadores es mayor. Pero los historiadores de la filosofía han de ser filósofos: hay unanimidad en que la Historia de la filosofía ha de ser filosófica; y no hay filosofía que no se conciba a sí misma en relación histórica a las demás, inserta en la historia de la filosofía, incluso como "entelequia" de la anterior hasta ella, cuando no, por tal, punto final de la historia de la filosofía. La necesidad de que la Historia de la Filosofía sea filosófica es la razón decisiva de que pueda considerarse como parte de ella la que puede llamarse, en paralelismo con la "crítica literaria" y la "crítica de arte", "crítica filosófica", una de cuyas incumbencias es puntualizar la originalidad de las filosofías.[18]

Su parte de la historia de la filosofía mexicana han hecho los filósofos mexicanos en cuanto filósofos. Hagan la suya, colaborando en la obra de hacer la Historia de la Filosofía Mexicana, cuantos deben sentirse llamados a ser historiadores de la filosofía mexicana –porque juntos con vuestros padres espirituales arraigaréis en la historia o corréis aún el peligro de ser arrancados de ella, jóvenes filósofos mexicanos.

En vista de los resultados de la revisión crítica de la historia de la filosofía en México, no se puede menos de estimar la negación de la existencia de una filosofía mexicana, no sólo como una falsedad, sino como una injusticia, y no sólo de los no mexicanos con los mexicanos, sino incluso de éstos consigo mismos. Pues bien, la reparación de la injusticia sólo vendrá con el restablecimiento de la verdad en la medida en que éste es parte de la total obra reparadora: la conjunta de los filósofos e historiadores de la filosofía mexicanos.

21. *Conclusión y transición*

Revisando críticamente la Historia de la Filosofía en general, se llegó a ver una Historia de las Ideas –como aquella parte de la Historia una que pone en primer término las ideas y en otros términos todas las circunstancias de éstas, para explicar o comprender las ideas por las circunstancias– capaz de hacer justicia a la historia de las ideas en México en toda su peculiaridad, aunque parte principal de ésta fuese la inexistencia de filósofos mexicanos, la sola existencia de pensadores mexicanos. Pero revisando críticamente la historia de la filosofía en México, se llegó a ver que no hay tal inexistencia –sino en la medida en que no hay una Historia de la Filosofía Mexicana capaz de descubrir y demostrar su existencia. Ambas revisiones críticas convergen en el ideal de una Historia de las Ideas en México como creadora, en la parte que le toca, de la filosofía mexicana, ideal imperativo, aunque sólo fuese por razón de propia conveniencia, quiérese decir de propia existencia histórica, para los filósofos mexicanos. Y ambas revisiones críticas han venido a parar en consideraciones versantes muy esencialmente sobre el presente actual de la historia de la filosofía mexicana y de la Historia de esta historia, presente constituido, en la parte relevante señalada desde el prólogo, por la filosofía del mexicano y de lo mexicano reservada para tema de la segunda parte de este trabajo.

La extensión de las consideraciones de los dos penúltimos parágrafos a los demás países hispanoamericanos y a España, habrá venido haciéndola al margen mental de ellas el propio lector.

1. Parte de este parágrafo y de los dos siguientes está tomada a otro trabajo del autor del presente, sin más cambios que uno grande de orden y muchos pequeños de detalle.

2. Según comunicación verbal de B. Navarro, quien al hacerla aún no había estudiado el tema avizorado. Gallegos Rocafull, *op. cit*, p. 300, enfrenta más bien a Rubio y Suárez un tanto como representantes respectivamente del espíritu dogmático y del espíritu de crítica y renovación.

3. *Cf.* Leopoldo Zea, *El Positivismo en México*, p. 70.

4. Hay una coincidencia digna de nota entre las últimas palabras, sobre el principio republicano, y la tesis central del libro del máximo pensador chileno, Lastarria, *La América*, publicado en 1865 y 1867 en respuesta a la misma coyuntura internacional, de esfuerzos de Europa contra América llevados hasta la guerra de invasión. Hasta lo que circunda la coincidencia llega Leopoldo Zea, *Dos etapas del pensamiento en Hispanoamérica, del Romanticismo al Positivismo*, México, 1949, p. 126.

5. En el curso mentado en la última nota del anterior ∫8.

6. *Op. cit.*, pp 187 *ss.*, de la edición de 1943, que es la que se prefiere citar, no tanto por ser la más completa, cuanto por ser la más asequible.

7. Con el puesto central de la esperanza en Caso dese 1919 por lo menos, es un punto de coincidencia el puesto que la misma virtud vino a tener en Marcel a principios de 1942; *v. Homo Viator,* París, 1944, pp. 37 *ss.* En Caso apenas hay la fenomenología de la esperanza, tortuosa a fuerza de querer ser exhaustiva, aunque no pretenda serlo, que desarrolla Marcel; pero éste da un verdadero salto a la significación metafísica del fenómeno, para llevarla en definitiva bien poco más allá de éste; Caso la inserta muy bien en una transición continua desde la experiencia del Bien en la caridad hasta la fe en el Bueno o Dios. –De esta filosofía de Caso y de sus orígenes se ha ocupado con mayor amplitud y detalle el autor del presente trabajo en dos anteriores: "Las Mocedades de Caso", en *Homenaje a Antonio Caso*, México, 1946, pp. 17 *ss.*, y "El Sistema de Caso", en *Luminar*, número dedicado a Caso, México, 1946, pp. 29 ss. De estos trabajos no es, sin embargo, un mero resumen lo apuntado en el texto.

8. Vasconcelos acaba de dar de su voluminoso sistema, en su *Todología*, México, 1952, una refundición cuya concisión destaca precisamente los aspectos antiesencialistas y existencialistas de aquél.

9. V. del autor del presente trabajo "El Pensamiento Hispano-Americano. Notas para una interpretación histórico-filosófica", en *Pensamiento de lengua española*, México, 1945, pp. 16 *ss.*, especialmente 49 *ss.*

10. A. Caso, *Historia y Antología del Pensamiento Filosófico*, México, 1926; J. Vasconcelos, *Historia del Pensamiento Filosófico*, México, 1937. Los títulos son significativos.

11. Este estudiar y criticar la filosofía original de mexicanos lo mismo que la original de no mexicanos no es contradictorio con lo dicho anteriormente acerca de las peculiaridades de la filosofía mexicana a que precisamente sólo puede hacer justicia la Historia de las Ideas propuesta como ideal. Es, al revés, una confirmación de lo dicho. Unicamente el hacer justicia a las peculiaridades de la filosofía mexicana es estudiarla y criticarla lo mismo que se estudia y critica la no mexicana.

12. Una serie de "estudios" destinados a caracterizar a los pensadores de lengua española en comparación con filósofos de otras lenguas, la ha emprendido la Srta. Vera Yamuni, que ha publicado un primer volumen, *Conceptos e Imágenes en Pensadores de Lengua Española*, México, 1951.

13. *Cf.* Samuel Ramos, *Historia de la Filosofía en México*, México, 1943, pp. 3 ss. En este contexto hay que señalar como merecedor de ser seguido y ampliado un camino como el emprendido por Gregorio López y López, "En pos de una filosofía zapoteca", en *Filosofía y Letras*, México, 27, julio-septiembre 1947, pp. 9 ss., pues otro *desideratum*: buenos conocedores de las lenguas y culturas índigenas y dueños de las técnicas de la Filosofía y la Filología de nuestros días que se dediquen a aplicar éstas a las reliquias y a la vida actual de las *Weltanschauungen* de aquellas culturas.

14. Y en los demás países hispanoamericanos, *mutatis mutandis*.

15. *Cf.* Victoria Junco, *op. cit.*, pp. 1 ss.

16. *Cf.* B. Navarro, *op. cit.*, pp. 29 ss.

17. Ejemplo, los opuestos puntos de vista y correlativas perspectivas del XVIII a que se hizo referencia en la nota 30 de la p. 43, que no son los únicos: así, los trabajos de Juan Hernández Luna sobre historia de las ideas en México, en aquel siglo y en otros, responden a otro espíritu; lo que no los hace, ciertamente, menos valiosos; y con el enriquecimiento del historiador en saber, cambian sus puntos de vista y correlativas perspectivas.

18. El análisis de textos cuyos resultados son los materiales de construcción de la síntesis histórica tiene por formas de expresión más propias la monografía y el artículo de revista técnica, los dos géneros por excelencia de dicha crítica. A ellos son reducibles las demás formas de expresión de la Historia, con excepción del tratado magistral, peculiar de la síntesis histórica: así las escritas –ensayo, nota bibliográfica, libro de texto elemental– como las orales –lección, conferencia, mesa redonda.

Al Hiperión

Segunda Parte

LA FILOSOFIA DEL MEXICANO

22. *La historia de la filosofía mexicana y la filosofía del mexicano*

En la primera parte del presente trabajo se sometió a una revisión crítica la manera de pensar acerca de la historia de la filosofía en México que niega la existencia de una filosofía mexicana. La revisión concluyó la falsedad e injusticia de la negación de tal manera de pensar.

En todos los casos hubiera debido la revisión abarcar el presente de la historia de la filosofía mexicana. Si no se encontraba ni siquiera en él filosofía mexicana, para darle la razón a la revisada manera de pensar. Si no se encontraba hasta él filosofía mexicana, para darle la razón a la revisada manera de pensar en cuanto al pasado, pero quitársela en cuanto al presente. Si se encontraba filosofía mexicana antes del presente, pero no en éste, para quitarle la razón a la repetida manera de pensar en cuanto al pasado, aunque concediéndosela en cuanto al presente. Y si se encontraba filosofía mexicana antes del presente y también en éste –pues miel sobre hojuelas.

La revisión ha encontrado filosofía mexicana antes del presente, mas extendida hasta abarcar éste, encuentra en él una actividad que se endereza a elaborar una filosofía mexicana sobre el supuesto de la idea de la existencia de filosofía mexicana antes del presente. Encuentra, en efecto, el presente de la historia de la filosofía mexicana constituido, no exclusivamente, pero sí considerablemente, por una actividad enderezada a elaborar una filosofía del mexicano y de lo mexicano que tiene una inmediata razón de ser en la idea de que elaborar tal filosofía es la mejor manera de elaborar una filosofía mexicana. Esta idea tiene por razón de ser, el afán de elaborar una filosofía mexicana. Y este afán tiene por supuesto la idea de la existencia de una filosofía mexicana antes del presente, o la manera de pensar acerca de la historia de la filosofía en México sometida en la primera parte del presente trabajo a la revisión crítica que concluyó la falsedad e injusticia de la misma. La revisión crítica debe extenderse, pues, a esta actividad, para ver si su supuesto es meramente inerte prolongación de la repetida manera de pensar o se funda en nuevas razones, y, sobre todo, para ver hasta qué punto sea certera su idea de que elaborar una filosofía del mexicano y de lo mexicano es la mejor manera de elaborar una filosofía mexicana y hasta qué punto haya elaborado ésta efectivamente.

Esta revisión crítica va a proceder de la actividad misma –sus objetos y métodos, o lo que puede llamarse su lógica, en el sentido más amplio posible de este término– a sus razones de ser –sus orígenes históricos, en que radican sus motivos justificantes, y el espíritu que, como consecuencia, la anima y que debe animarla, o lo que puede llamarse su ética, también en el sentido más amplio posible de este término.

Los objetos y los métodos, los motivos y el espíritu de la filosofía *del mexicano* y *de lo mexicano* no pueden menos de ser objetos y métodos, motivos y espíritu *de la filosofía*: la revisión crítica de ellos tampoco podrá menos de resultar una ojeada –el volumen disponible no permite inspección mayor– echada, en torno de la mexicanidad, a los problemas capitales de la filosofía de nuestros días, que son la modalidad contemporánea de los problemas de la filosofía de todos los tiempos, y especialmente a algunos de los problemas capitales de la "filosofía de la filosofía", entre ellos nada menos que el del sentido y valor de la filosofía misma.

La ojeada echada en torno de la mexicanidad *puede* echarse en torno de las demás nacionalidades del mundo hispánico, pero *no puede* dejar fuera de su alcance las relaciones de aquélla con éstas, antes fijándose en ellas ha de acabar.

Capítulo 3

OBJETOS Y METODOS

23. *"Filosofía de lo mexicano" o "filosofía del mexicano"*

Quizá la historia de la actividad enderezada a elaborar una filosofía del mexicano y de lo mexicano haya pasado ya, a pesar de no extenderse a más de pocos años, por dos etapas: una, primera, en que el objeto de la filosofía se definía ya para los autores de ésta más bien como "lo mexicano", y otra, más reciente, en que el objeto se ha definido más bien como "*el* mexicano"; sin que la sucesión de las etapas haya sido tal, que la segunda definición viniera a reemplazar totalmente la primera, sino, más exactamente, que a un predominio de la primera, en el seno del cual ya se había incoado la segunda, ha seguido un predominio de ésta en la plenitud del cual no ha dejado de existir y operar la primera. Ya en *El perfil del hombre y la cultura en México*, (*vid*. Samuel Ramos, p. 175), aunque en el título precede el hombre a la cultura, en el texto preceden la historia y la cultura al hombre, aunque también le sigan. En todo caso, en la actividad de referencia, a una orientación preferente hacia la historia de la filosofía, del pensamiento, de las ideas en México, de la cultura mexicana, o hacia una Filosofía de la Historia de México y una Filosofía de la Cultura Mexicana, orientación historicista y fenomenológico-esencialista, ha sucedido la orientación presidida por la ontología del mexicano, fenomenológico-existencialista y "practicista".

Dado, pues, que el objeto de la filosofía de que se trata viene siendo, de hecho, hasta ahora, tanto lo mexicano cuanto el mexicano, a las primeras parece la definición de semejante objeto como "lo mexicano" preferible a la definición del mismo como "el mexicano": "lo mexicano" parece poder comprender al mexicano más obviamente que "el mexicano" lo mexicano: el artículo neutro puede significar con las cosas todas a los seres humanos como el masculino no puede significar con los seres humanos cosa alguna: para que "lo mexicano" comprenda al mexicano bastan las significaciones corrientes del idioma. Para que "el mexicano" comprenda lo mexicano es menester, en cambio, una consideración filosófica como la de que lo mexicano no tendría sentido sino por referencia al mexicano, por no tener ni siquiera existencia sino por obra de éste: tratándose de la cultura, en el principio es el hombre.

Pero si se quiere elaborar una filosofía de lo mexicano y del mexicano, es porque se piensa que elaborarla es la mejor manera de lograr una filosofía mexicana, esto es, original del mexicano, en el doble sentido de concebida por él y de nueva relativamente a las concebidas por hombres de otras nacionalidades. La expresión "filosofía del mexicano" puede significar tanto "*del* mexicano" como objeto tema de la filosofía cuanto "*del* mexicano" como sujeto autor de la misma filosofía: el mexicano puede filosofar sobre sí mismo. En cambio, lo mexicano no puede ni filosofar –más que en cuanto comprenda *el* mexicano: la expresión "filosofía de lo mexicano", sin más, sólo significa "*de* lo mexicano" como objeto. Esta expresión se queda de suyo corta. La otra tiene una ambigüedad precisamente gracias a la cual resulta por sí sola más justa. La tesis sustentante, que no sólo sustentada, de la filosofía de lo mexicano y del mexicano como objetos es: esta filosofía es la mexicana, la del mexicano como sujeto. Por esta razón cabe preferir la expresión "filosofía del mexicano" entre las dos más breves que la compuesta de ambas, "filosofía del mexicano y de lo mexicano". Pero por lo pronto sólo a título provisional. Porque la definición del objeto de esta filosofía como "lo" o como "el", o como "lo" y "el", o, aún, "el" y "lo", no es sino la manifestación más superficial de los problemas, incluso de los más profundos, que plantean los objetos y los métodos de toda filosofía de este género. Así, "filosofía *del* mexicano" podría ser una investigación de la esencia del mexicano, pero también de su existencia, como quiera que se conciba ésta, mientras que "filosofía de *lo* mexicano" podría ser asimismo una investigación de la esencia de lo mexicano, pero no de la existencia de lo mexicano "no humano", si se concibe la existencia como lo hace el existencialismo, como exclusiva del hombre, ni quizá, aun concibiéndola de la manera tradicional, más que en referencia a la del mexicano. La opción entre las definiciones depende en definitiva de la resolución de semejantes problemas.

24. *Historia o Filosofía*

La actividad enderezada a elaborar una filosofía del mexicano, en cuanto filosófica no ha podido emplear más que métodos filosóficos. Pero en torno a la filosófica ha allegado otra, muy voluminosa y diversa, que viene empleando métodos psicológicos, sociológicos, históricos; en general, de ciencias humanas (ciencia de la literatura, del arte, de la religión. . .). El empleo de métodos tan variados y no todos filosóficos se debe, desde luego, a la índole del objeto de la filosofía en cuestión y a las relaciones de ésta como forma de conocimiento de un objeto semejante con las demás formas de conocimiento del mismo; pero plantea problemas que no se han examinado, al menos públicamente, en forma tan cabal como se debiera, por parte de los llamados a hacerlo, como únicos competentes para ello, que no son los cultivadores de las ciencias humanas, sino de la Filosofía. Con todo, hasta tal punto plantea problemas el empleo de tan variados métodos, que el problema general de la relación entre la dualidad de actividades y métodos, filosóficos y no filosóficos, bien que bajo una forma más particular, promovió una polémica entre cooperadores en la obra total.

El problema general puede plantearse en términos de la relación entre Historia y Filosofía. En otros tiempos se oponían estas dos disciplinas como conocimiento "fáctico" o de hechos, cualesquiera que éstos fuesen y aunque el conocimiento de ellos no tuviese carácter "narrativo" alguno, sino puramente "sistemático", y conocimiento "racional" o por principios apriorísticos. En este sentido, de conocimiento fáctico puramente sistemático, se llamó a la Mineralogía, Botánica y Zoología fundamental, si no exclusivamente, taxonómicas, "Historia Natural". En el mismo sentido, son la Psicología, Sociología, todas las ciencias humanas Historia y no sólo la disciplina tradicionalmente llamada por excelencia así. A englobar, sin más, bajo el nombre de Historia todas las disciplinas humanas se opone el empeño puesto en distinguirse de la Historia por las ciencias humanas –sistemáticas o no históricas, pues, en la medida del logro del empeño. Pero reconocida expresamente esta oposición, ninguna otra razón parece oponerse a la posibilidad de utilizar aquí semejante englobamiento para plantear y examinar el problema que ahora interesa. En cambio, se encuentran para hacerlo así un par de razones en las circunstancias mismas determinantes de que interese ahora. Aun cuando haya ciencias humanas no históricas, la aplicación de ellas, o de sus métodos, a objetos tales como el mexicano y lo mexicano, difícilmente podría dejar, si no de reducirse a Historia, en el sentido corriente en la actualidad, de fundarse en un conocimiento de sus objetos esencialmente histórico, en el mismo sentido, por la índole propia de los objetos. En todo caso, la aludida polémica no se promovió entre los psicólogos, sociólogos y demás cultivadores de las ciencias humanas no históricos y los filósofos, sino entre éstos y los historiadores.

Estos han reprochado a los filósofos erigir su filosofía del mexicano sobre una base deficiente de Historia del mexicano y de su cultura. Los cultivadores de las ciencias humanas no históricas hubieran podido ampliar el concepto de Historia hasta el de conocimiento empírico o fáctico en general. Los filósofos han replicado a los historiadores, no tanto negando la necesidad de base histórica ni empírica o fáctica alguna por parte de la Filosofía –lo que hubiera sido al par una réplica eventual a la dicha ampliación posible del concepto de Historia–, cuanto reprochando a los historiadores hacer una Historia sin contenido ni alcance filosófico, ni, por ende, ni siquiera histórico, suficiente para poder servir de base de conocimiento histórico a la filosofía en cuestión.

El fondo último de la polémica y del problema implicado en ella, fondo que da a polémica y problema todo su sentido, puede desarrollarse según sigue. Objetos como el mexicano y lo mexicano parecen no poder conocerse sino *antes* por medio de la Histoira que de la Filosofía, por tratarse de objetos esencialmente históricos –y aun *sólo* por medio de la Historia, si es verdad el apotegma de Dilthey, "el hombre sólo se conoce viéndose en la historia, nunca por medio de la introspección". Pero la cosa no es tan sencilla como parece. No sólo la Historia de la Filosofía ha de ser filosófica. Tampoco sólo ha de ser filosófica la Historia utilizable como base de conocimiento por una Filosofía de objetos Históricos. Cualquier Historia, toda Historia, la Historia una ha de ser, para ser Historia, filosófica en la medida en que no es posible sin operaciones de suyo en el fondo filosóficas y que presuponen una filosofía en el historiador: la Historia malamente filosófica sería mala incluso simplemente como Historia. Y si la Historia fuese –la Filosofía, como piensa Edmundo O'Gorman. . . Ahora bien, una Historia *filosófica*, sea la de la Filosofía, sea la utilizable por una Filosofía de objetos históricos, sea la Historia una, no puede ser más que una Historia en la que haya *implícita* una filosofía, la explicitación de la cual sería incumbencia de una Filosofía de la Historia de la Filosofía, de la Filosofía de los objetos históricos del caso, de la Filosofía de la Historia. Pero entonces el conocimiento que parecía no poder ser sino *antes histórico* que filosófico resulta él mismo filosófico en el fondo o *antes filosófico* que histórico.

En el anterior parágrafo 23 se indicó cómo la actividad enderezada a elaborar la filosofía del mexicano ha pasado de una etapa de orientación historicista y fenomenológico-esencialista a otra, de orientación fenomenológico-existencialista y practicista. Puede interpretarse esta evolución como el reflejo y el efecto de cobrar una conciencia más cabal de las relaciones entre Historia y Filosofía, entre historicismo, fenomenología y existencialismo.

25. Esencialismo o existencialismo

Si la actividad enderezada a elaborar una filosofía del mexicano ha pasado de una orientación preferentemente fenomenológico-esencialista a una orientación preferentemente fenomenológico-existencialista, es porque su centro filosófico ha empleado en pareja sucesión los métodos correspondientes. Con ello ha reproducido en menor formato, pero por lo mismo en gran concentración o condensación, la trayectoria de la filosofía de nuestros días, entre las cardinales de la fenomenología y el existencialismo.

"Filosofía del mexicano", "filosofía de lo mexicano" son expresiones que sugieren se trata de dar respuesta a preguntas como éstas: ¿cómo es el mexicano?, ¿qué es el mexicano?, ¿qué es lo mexicano de tal o cual cosa mexicana?, ¿qué es lo mexicano en general?, ¿cómo es lo mexicano, por ser tal o en cuanto tal? Mas preguntar cómo *es*, qué *es* un objeto o ente cualquiera es preguntar por el *ser* de este ente, pero por el *ser* del ente en el sentido de la *esencia* de éste, pues tal es el sentido incorporado a las preguntas de la forma de las anteriores por una tradición milenaria. De las preguntas anteriores sólo la primera y la última pueden entenderse como un preguntar por el *ser* de los entes correspondientes en el sentido de la *existencia* de éstos: ¿cómo existe el mexicano?, ¿cómo existe lo mexicano en cuanto tal? Y se percibirá la violencia hecha al idioma y la ambigüedad de estas últimas preguntas. No se halla simplemente entre una manera empírica y una manera esencial de existir el mexicano o lo mexicano. Ni siquiera entre el sentido tradicional del concepto de existencia, aplicable al mexicano y a lo mexicano, y el sentido existencialista del mismo concepto, como exclusiva del ente humano. Se halla más que en nada en que preguntar *cómo* existe un ente es preguntar por formas accidentales o por la *esencia* de la existencia del ente, pero nunca directamente por la existencia del mismo, quizá porque directamente por la existencia de un ente no sea posible *preguntar*. . .

Los resultados logrados hasta ahora por la actividad enderezada a elaborar una filosofía del mexicano se componen en su mayor parte de descripciones o caracterizaciones que, en casos, han llegado a definiciones ("han llegado" en la investigación, aunque ésta haya partido de ellas, en el sentido de no poder partir de ellas sino como intuidas y no probadas, ni estar ellas probadas hasta el término de la investigación; y aunque se parta de ellas en la exposición): descripciones, caracterizaciones, definiciones, de cosas mexicanas, más o menos materiales, naturales y artificiales, grandes y pequeñas, y de rasgos de la vida colectiva e individual, pública e íntima, o del carácter o personalidad del mexicano. La mayor parte, a su vez, de estas descripciones y caracterizaciones es literatura o ciencia más bien que filosofía, la cual serían tan sólo las descripciones, caracterizaciones y, sobre todo, definiciones, de lo esencial, de las esencias, de las cosas o rasgos o del sujeto mismo correspondientes. Pero así aquéllas como éstas han empleado el método considerado como el método por excelencia para describir o caracterizar y definir esencias por la filosofía de nuestros días: el método de la fenomenología eidética. No el método fenomenológico en el sentido riguroso de la fenomenología de Husserl: el método de la ciencia eidético-trascendental de las esencias de los fenómenos puros de la conciencia pura; sino el método fenomenológico en el sentido mucho más laxo y lato que se generalizó en torno a la estricta ortodoxia husserliana, desde el interior de la escuela misma de Husserl hasta lontananzas en las que se trata pura y simplemente de descripciones de cualesquiera objetos, dirigidas por una vaga intuición de lo esencial de éstos, no garantizadas por nada susceptible de verificación objetiva o intersubjetiva, tan sólo conducidas en algún orden "metódico". El empleo de un método más o menos riguroso, él mismo, el empleo, más o menos consciente de todo lo que hacía, ha dependido de la mejor, peor o prácticamente nula formación o información filosófica de las personas. En todo caso, no sólo la filosofía de lo mexicano, sino también la del mexicano, elaborada hasta ahora, es una filosofía de esencias incluso parcialmente en aquellos cultivadores de ella que propugnan expresamente que debe ser primordialmente filosofía de la existencia del mexicano. Hasta tal punto es ingente y potente la antes aludida tradición, quizá por fundada últimamente en la insinuada imposibilidad de preguntar directamente por la existencia de ningún ente. Pero si a pesar del empleo del método fenomenológico, aun en un sentido riguroso, la mayor parte de las descripciones o caracterizaciones de lo mexicano son empíricas más bien que eidéticas, es porque en este punto precisamente han operado las aporías de la fenomenología misma, hasta en el riguroso sentido de Husserl. El caso de la filosofía del mexicano no podía escapar a la dependencia en que lo metodológico está de lo ontológico, ni a las aporías, en ambos planos, del esencialismo y el existencialismo e historicismo.

26. *Las aporías del esencialismo*

A la actividad enderezada a elaborar una filosofía del mexicano, y así a la de los filósofos como a la de los demás, se le ha hecho repetidamente la siguiente objeción. No hay un mexicano, sin más, sino tan sólo mexicanos diferenciados geográfica, antropológica, histórica, sociológicamente. . .: mexicano de la altiplanicie o de la costa, indígena, criollo o mestizo, de la colonia, del México independiente o de la Revolución o de nuestros días, pelado, burgués, intelectual o trabajador del campo. . . Por consiguiente, aquella actividad no está elaborando otra filosofía, si alguna, que la de un mexicano determinado, y determinado arbitrariamente: probablemente, el mestizo burgués de la altiplanicie y de nuestros días, si es que no exclusivamente los autores mismos de la pretendida filosofía. La generalización de ésta al mexicano, sin más, es, en conclusión, tan infundada como imposible.

No es seguro que todos los autores de semejante objeción de intención nominalista tengan conciencia de esta intención ni de que la objeción entraña las dos dobles aporías de la fenomenología eidética, manifestaciones, a su vez, del problema quizá más cardinal y radical de la Filosofía –pero así es.

I. *La doble aporía del hecho ejemplar de la esencia*

Se trata de definir o describir la esencia del mexicano. Para ello es menester estar viendo esta esencia. No puede vérsela más que en los mexicanos mismos, por lo menos en uno. Para verla en éstos es menester saber que éstos son mexicanos, a diferencia de los demás seres humanos, por no decir de los demás seres en general. Y saber tal, implica qué es un mexicano –o estar viendo la esencia del mexicano. Un círculo vicioso. Con el que se ha encontrado desde muy temprano la fenomenología eidética en general. La definición o descripción de una esencia no puede hacerse sino sobre la base de la intuición esencial o eidética de la misma en por lo menos un ejemplar fáctico de ella, intuido, a su vez, en la percepción externa o interna o en la imaginación reproductora o creadora. La doble posibilidad de intuir una esencia en un solo ejemplar fáctico de ella, intuible, a su vez, en la imaginación, tiene particular interés para una filosofía como la del mexicano, y aun de lo mexicano, en la medida en que los ejemplares de esencias como las del mexicano y lo mexicano son históricos y en cuanto tales únicos –*einmalig*– y pasados o sólo imaginables sobre la base de la percepción de sus reliquias actuales.

Se ha pretendido negar el círculo precisando que se presupone la intuición de la esencia para elegir el ejemplar y continuando intuyéndola en él definirla o describirla, o que de lo que se trata es de hacer explícita, conceptual, verbalmente, la esencia intuida implícitamente. Pero ¿y esta esencia intuida implícitamente? , ¿de dónde sale? , ¿es el resultado de una experiencia, y se vuelve al círculo? , ¿o es algo innato, o qué? . . .

Mas admitido que presupuesta la intuición de la esencia del mexicano se puede elegir un mexicano, para continuar intuyendo en él su esencia y definir o describir ésta, ¿es que será lo mismo elegir un mexicano que otro? , ¿es que no hay mexicanos ejemplares, no en el sentido de ser todos por igual mexicanos, sino en el sentido de encarnar "las esencias de la mexicanidad" mejor que el resto de los compatriotas?, ¿y no será en ellos donde haya que intuir y por ellos por los que se deba definir lo que sea ser mexicano? . . . Tal reparo habría también en el fondo de la objeción inicial. Para algunos de sus autores sería el alcance de ella: todos los mexicanos, diferenciados como quiera que lo estén o lo sean, son igualmente mexicanos; para otros podría ser: el mexicano determinado arbitrariamente está determinado así justo porque no es el mexicano ejemplar que debiera ser. La consecuencia lógico-filosófica que haya en pensar, por un lado, que no hay un mexicano sin más, sino tan sólo mexicanos diferenciados, y, por otro lado, que todos los mexicanos, diferenciados como quiera que lo estén o lo sean, son igualmente mexicanos, es otra cuestión. . .

En todo caso, el concepto de "ejemplar", no ya en la filosofía del mexicano, sino de nuevo en la fenomenología eidética en general, vacila ostensiblemente entre una acepción puramente descriptiva, ontológico-gnoseológica, y otra estimativa, axiológica. ¿Habrá que atenerse a la descriptiva o que aceptar realmente la axiológica? Y en este caso ¿cuál será el criterio preferencial?

A la dificultad de la prelación entre la intuición de la esencia y la elección de los ejemplares en general de la esencia se suma la dificultad de la posible existencia de ejemplares por excelencia y del criterio para darles esta preferencia.

Los filósofos a quienes se ha hecho la objeción inicial han reaccionado en una doble dirección: afirmando expresamente, contra la intención nominalista, en una intención "realista", esto es, aquí, esencialista, la existencia del mexicano en general, es decir, de una esencia común a todos los mexicanos por igual, sin distinción de lugares, tiempos, razas, clases. . . y por lo mismo negando la existencia de mexicanos más ejemplares que otros *en cuanto mexicanos*. Si esta negación no se hallase expresada en toda su generalidad, parece hallarse implicada en una como la de que "ninguna etapa de la historia del hombre es por sí misma normal o anormal".[1] En efecto, esta negación, que suena en el último fondo a lo mismo que la famosa tesis de Ranke, de la igual cercanía de todas las épocas de la historia a la Divinidad, parece implicar la negación de la diferencia de ejemplaridad entre los mexicanos por lo menos en el respecto histórico –sólo que éste quizá sea el fundamental en estos respectos. Esta negación resulta favorecida por motivos axiológicos como el igualitarismo democrático y el internacional que propugnan los países tratados desigualmente por los cinco, cuatro, tres o dos grandes. De nuevo otra cuestión es la consecuencia lógico-filosófica que haya en hacer, por un lado, la afirmación esencialista de la existencia de un mexicano en general y en preconizar, por otro lado, una filosofía existencialista del mexicano.

Las consideraciones hechas en los apartes anteriores sobre *el* mexicano son transportables a *lo* mexicano. Pero lo mexicano es, bajo el punto de vista de la "extensión", una inabarcable multitud y multiformidad de cosas mexicanas, materiales e inmateriales, naturales y culturales, individuales y colectivas, insignificantes y grandiosas. Encima, muchas de ellas se consideran expresamente como "típicamente" mexicanas o "característicamente" tales. Todo esto agudiza la dificultad del problema de los ejemplares en los dos sentidos y de la descripción o definición de lo mexicano bajo el punto de vista de la "comprensión" o de las notas esenciales constitutivas de ello. Pero como la dificultad es nueva sólo de grado, aunque lo fuese en grado superlativo, y no de naturaleza, no merece que se la dedique mayor espacio del en definitiva corto señalado en total al presente trabajo.

II. *La aporía de la esencia del hecho ejemplar*

Uno de los participantes en la elaboración de la filosofía del mexicano se propuso investigar el significado de una expresión artística del mexicano, ella misma tan mexicana como "el hombre acurrucado".[2] Pues bien, en cierta etapa del curso de la investigación le pareció a su autor que al significado de la figura era esencial la indumentaria que la caracteriza, y buscando las razones, las encontró en sutiles y profundas disquisiciones sobre la relación de la figura con el medio y en el significado, a su vez, de esta relación. Pero cuando en etapa ulterior del mismo curso tuvo el investigador noticia de ejemplares prehispánicos al parecer de la misma figura sin la indumentaria esencial, qué destanteo. Por fortuna, el estudio de estos ejemplares permitió al investigador concluir en forma que le permitió, a su vez, restablecer la esencialidad de la indumentaria característica, con todo y la relación con el medio en la plenitud de su significado.[3]

El caso[4] recuerda el de la esencialidad de la blancura del plumaje del cisne, invalidada por el cisne australiano de plumaje negro, y con este caso la aporía del criterio de lo esencial en que se encontró metida desde un principio la fenomenología eidética y que por ello es una cuestión clásica en la historia de la fenomenología contemporánea.

Un ejemplar de una esencia, sea ejemplar en sentido puramente ontológico o axiológico, es un plexo de notas. Aun un ejemplar tan simple como una mancha de color, de una esencia tan simple como la esencia "color", es un plexo por lo menos de dos notas: la de matiz de color y la de extensión. ¿Qué notas del plexo son las esenciales, las integrantes de la esencia del ejemplar, séalo éste en el sentido en que lo sea?

Ejemplares al parecer de la misma esencia presentan notas diferentes. ¿Basta la diferencia para desechar las notas como inesenciales? ¿O es esencial una y los ejemplares que presentan otra seudoejemplares de la misma esencia? ¿El color del plumaje es inesencial al cisne o un cisne negro no es un cisne, como concluiría, en contra de la zoología, la representación popular y aun la poética y artística en general?

¿Hay un criterio distintivo de las notas integrantes de las esencias, susceptibles de validez objetivo-intersubjetiva universal o en cualquier orden de hechos y esencias para cualesquiera sujetos?

Tómese por tal la llamada *Fundierung* por Husserl, la relación existente entre, por ejemplo, las dos notas señaladas hace un momento en la mancha de color como ejemplar de la esencia "color": la nota "extensión" no está incluida "analíticamente" en la nota "matiz de color", y, sin embargo, un matiz de color no puede ni siquiera concebirse, no ya darse, sin tener alguna extensión, o la nota "matiz de color" sin esta relación "sintética", y aun *a priori*, con la nota "extensión". Y dígase que la extensión es esencial al color. ¿Hay notas en semejante relación entre las integrantes de esencias como la del mexicano o aun la de lo mexicano? . . .

Porque notas en semejante relación parece haberlas en las "esencias morfológicas" de géneros o especies de partes abstractas de sustancias, pero es muy problemático, cuando menos, que las haya en las de géneros o especies de sustancias. "Todo fenómeno psíquico que no sea de representación está 'fundado' en uno de representación"; este "principio de Brentano" será exacto, pero se refiere a "fenómenos psíquicos", esencias de géneros o especies de partes abstractas de la sustancia *psico*-física que es un ser humano o animal. Al color del cisne o al del mexicano será esencial la extensión, pero se trata de "color", esencia de género o especie de una parte abstracta de la sustancia psico-*física* que es un cisne o un mexicano, pero ¿y en las esencias del cisne mismo, del mexicano mismo, en su sustancialidad concreta y característica? . . . En la misma definición clásica del hombre, definición de la esencia morfológica de una especie de sustancias, la animalidad y la racionalidad no están en la relación de referencia: tanto distan de no poder concebirse ni menos darse la animalidad sin la racionalidad y ésta sin aquélla, que ahí están dados los animales irracionales y concebidos los espíritus puros, racionales sin animalidad.

Mas si ni la *Fundierung*, ni ningún otro criterio distintivo de las notas integrantes de las esencias se acredita de universalmente válido, quizá se deba a una aporía más profunda, de la naturaleza de las cosas mismas:[5] acaso algunas clases de cosas, por lo menos, ya que no todas, carezcan de esencia. . .

De toda cosa parece caber el preguntar con sentido qué sea ella. Mas la pregunta "¿qué es –la cosa que sea? " pide, según su más propio y esencial sentido, por respuesta una definición *stricto sensu* de la cosa o una proposición de una especie lo menos diferente posible de semejante definición, todo lo cual implica la idea de que toda cosa sería definible o cuasi definible, la idea de la definibilidad o cuasi definibilidad universal, y la idea de que la definición *stricto sensu* sería la forma por excelencia del saber, el ideal de éste. Por otra parte, la definición *stricto sensu* es de la esencia de una especie integrada por el género próximo y la diferencia específica. Las ideas de la definibilidad universal y de que la definición *stricto sensu* es el ideal del saber implican, a su vez, pues, la idea de la constitución esencial o eidética de la realidad universal, o de la integración de ésta por individuos de especies de géneros. Razón de ser más general de esta idea sería la necesidad de concebir la pluralidad individual y la unidad de la realidad uni-versal tan a una como en ésta se manifiestan; razón de ser del "ver" la unidad de la pluralidad individual en las esencias podría ser el eidetismo de los griegos y la "tiranía" de éstos en general, que no sólo de Platón y Aristóteles, aunque ambos hayan sido los principales ministros de ella, sobre el pensamiento humano, o, más exactamente, del hombre de Occidente, tan propenso a identificar consigo *el hombre*. En todo caso, es la idea una idea bien tradicional y generalizada, como mostrarían preferente, no exclusivamente, la Historia Natural y los géneros literarios, pero tan problemática, por lo menos, como no dejarían de mostrarlo ni siquiera los géneros literarios y la Historia Natural. En ésta se ha discutido si el "sistema natural" responde a relaciones reales entre los seres naturales o se reduce a un artificio instrumental indispensable al limitado intelecto humano. Y a los géneros literarios se les ha negado toda realidad. En ambos casos, los correspondientes "nominalismos", las tesis de la sola realidad de los entes individuales, de las obras literarias individualmente distintas, están motivadas por un ver o un sentir sagaz acerca de la naturaleza de ciertas cosas.

Sabido es que de la Filosofía hay toda una serie de definiciones, reducibles precisamente a tantas cuantas filosofías se dintingan como integrantes de la historia de la Filosofía. La Filosofía no parece definible sino por vía de historia y de Historia de definiciones, o, ya que no absolutamente indefinible, más radicalmente que definible, historiable. Esta situación de la Filosofía es extensible a los demás "sectores de la cultura": no resultan más definibles que la Filosofía, la Literatura, el Arte, la Religión, la Ciencia misma. Tengan alguna realidad o no tengan ninguna los géneros literarios, los hechos son que de la antigua Retórica y Poética articulada conforme a la clasificación de los géneros literarios se ha venido a una Ciencia de la Literatura que es fundamentalmente Historia Literaria, y el mismo estado es el actual de las ciencias de los demás sectores de la cultura, a pesar de todas las reacciones "fenomenológicas" y "teoréticas". Estos y todos los progresos del "historicismo" no parecen atribuibles sino al de la conciencia de la existencia de realidades puramente históricas, que serían las humanas, por aquello de que "el hombre no tiene naturaleza, sino historia". En suma, la historicidad del orbe de lo humano parece oponerse a la existencia de esencias en él. Posibilidad, al menos, pues, de que no haya esencias en el orbe de lo humano, al menos también.[6]

Conclusión: es problemático, como mínimo, que sea posible una filosofía de la esencia de lo mexicano y más aún del mexicano.[7]

27. *La aporía del historicismo y existencialismo*

No habría esencias de las cosas *puramente* históricas. Por eso éstas no serían definibles, sino historiables –tan sólo: el ideal de la definición, forzosamente abandonado. No definibles, es decir, no expresables por medio del lenguaje de la definición: fundamentalmente, el nombre sustantivo común y el verbo sustantivo: "el *hombre es* un animal racional". Historiables, es decir, expresables por medio del lenguaje de la Historia: fundamentalmente, el nombre sustantivo propio y el verbo no sustantivo: "*Hidalgo no vaciló; reunió* la gente que pudo, le *dio* las armas que tenía, la *entusiasmó* con su palabra y con su ejemplo en la mañana del 16 de septiembre, en el atrio de la parroquia, y *salió* rumbo a San Miguel. . ."[8] No, pues: "La Filosofía es la ciencia de las primeras causas", sino: "Caso concibe (¿presente histórico?) la Filosofía como la explicación de la existencia."[9]

Con todo, la Historia no puede escribirse sin una buena dosis de términos expresivos de "esencias" más concretas o más abstractas: no sólo adjetivos, también sustantivos: ". . .y las *multitudes rurales*, abandonando sus arados y sus cabañas, lo siguieron como a un *Mesías*, al grito de: '¡Viva Nuestra Señora de Guadalupe y muera el *mal gobierno*!' (mueran los gachupines, como decían las turbas); la *conjuración* de Querétaro se había tornado *inmenso levantamiento* popular: era la *Insurrección*."[10] No habría manera de decir *qué* concibe Caso sin sustantivarlo más o menos: "concibe *el* filosofar como un explicar *el* existir", "concibe *que* se filosofe como *que* se explique *que* se exista": sobre no suprimir toda sustantivación, la expresión va siendo cada vez menos natural idiomáticamente y menos verdadera históricamente. ¿Es tan sólo que los hombres no podemos concebir, pensar, sino eidéticamente? . . . Pero lo pensado eidéticamente por nosotros es parte de la historia –como acaba de mostrar el anterior rudimento de Historia de la Filosofía de Caso.

Pero lo pensado eidéticamente por los hombres no es lo único "esencial" que es parte de la historia y que por ende necesita pensar eidéticamente a su vez la Historia. Esta es de México o de la Filosofía –objetos dotados de unidad. La unidad del objeto, alguna unidad de la *historia* misma de que se trate, es condición de posibilidad de la correspondiente Historia. Si el México de la Revolución no tuviese absolutamente nada que ver con el anterior de la Independencia, ni éste con el de la Colonia, ni éste con el Prehispánico, no habría historia ni Historia de México. Si las filosofías, desde la de Mileto hasta la del Hiperión, no tuviesen de común el ser todas filosofías, no habría historia ni Historia de la Filosofía. Más si México es un todo complejísimo pero, en su totalidad, singular, no todas sus partes, de todas clases, serían exclusivamente reales y singulares, sino que muchas son ideales y universales; lo común a todas las filosofías de la historia, la unidad de la Filosofía, bien parece ser la de una "esencia". . .

El historicismo tropieza con límites esencialistas.

Si por existencialismo se entiende un pensar y decir que la existencia del ser humano es un advenir a ser del modo más antisustancial, más puramente "actual" del mundo, del modo más temporal y del modo más singularmente individual, u otras cosas por el estilo, no se logrará decir ni pensar ni siquiera estas cosas sino en un estilo como aquel en que acaban de decirse y pensarse, sustancializándolas, generalizándolas, destemporalizándolas un tanto: *la* existencia, *el* ser humano, *un* advenir a ser. . . *el* modo más singularmente individual –en general, en cuanto que tan singularmente individual es la existencia de cada uno de los seres humanos.[11]

También tropieza con límites esencialistas el existencialismo –suponiendo que consista en pensar y decir cosas como las acabadas de poner por caso.

¿Podrá ser una filosofía de la existencia del mexicano más

existencialista, esto es, menos esencialista, que la filosofía de la existencia humana individual –en general?

No, por lo de "filosofía de la existencia", pues, como se ha mostrado, *toda* filosofía de la existencia tiene que decir o pensar "existencia", o "existir", para poder ser "filosofía". No por otra razón los pensares y decires acerca de la existencia del mexicano son pensares y decires acerca de *modos* ya más *esenciales*, ya más *accidentales* –correlativamente opuestos a los esenciales– de existir el mexicano.

Pero ni siquiera por lo del "mexicano", en vez del hombre o lo humano "en general": pues sería de *el* mexicano, mientras no se atreva a ser de Leopoldo Zea, de Emilio Uranga. . ., y si se atreviera a ser esto, esto de veras, sería de Leopoldo Zea, de Emilio Uranga. . ., pero no *filosofía*, sino paradójico soliloquio inefable de cada uno de éstos acerca de sí mismo[12] –en rigor, puro *Selbsterlebnis* "irracional" de cada uno de ellos.

Todo antiesencialismo tiene por límite la imposibilidad de hablar y pensar sin *logoi* que de suyo son universales y eidéticos y entre los cuales y sus objetos hay alguna correspondencia.[13]

28. *Esteticismo o practicismo*

En la palabra oral o escrita hecha pública bajo alguna forma por la operación misma o por el influjo de la actividad enderezada a elaborar la filosofía del mexicano, hay una proporción considerable, quizá prevaleciente, de análisis, descripciones y comentos de cosas materiales o sociales y de notas individuales más peculiares de unos u otros mexicanos bajo los puntos de vistas psicológico, sociológico, histórico. . . que propias de lo mexicano y del mexicano bajo algún punto de vista propiamente filosófico. La filosofía misma, así la esencialista de lo mexicano como la existencialista del mexicano –ésta, en cuanto que, entendida como hablar y pensar acerca de la existencia del mexicano, no puede prescindir totalmente de medios más o menos esencialistas–, viene lindando con el quedarse en una estática, y extática, *actitud teorética*, en el sentido de puramente contemplativa de fenómenos dados, y *estética*, en el sentido de una complacencia beatífica en lo curioso de los fenómenos, en suma, en una especie de *folklore* trascendental –o ni trascendental. Habrá una razón en la relación fundada en la naturaleza de las cosas, y expuesta ya en *El Banquete* entre eidética y estética, pero esta relación misma no es sino anejo de uno de los términos de una aporía más radical que todas las radicantes en la dualidad de los hechos y las esencias.

Fácticos o eidéticos, los objetos de la filosofía del mexicano son considerados como *fenómenos* dados, cuando no se los "concibe" como *problemas* que resolver. El no "concebirlos" de este modo, por limitarse a considerarlos de aquel otro, amenaza a la filosofía mexicana de que se siente afán con el riesgo de no llegar a ella como filosofía, por quedarse en el *folklore*, la literatura, la ciencia, ni como mexicana, a pesar de todo lo mexicano de esta ciencia, literatura y *folklore*, si el mexicano fuese, más que fenómeno, problema. . . Lo que quizá basta ya para sugerir que la manera de escapar al riesgo inminente consistiría en el apuntado cambio de objetos con el correspondiente cambio del comportamiento correlativo a los objetos. *No fenómenos, sino problemas*, podría ser el lema, habida cuenta de la concomitancia acabada de indicar entre objetos y comportamientos con ellos: en vez de la actitud caracterizada en el aparte anterior, una resuelta *actividad práctica*, y *poética*, en el sentido de una resolución efectiva de problemas, creadora del sujeto mismo de los problemas, del mexicano, y en este sentido *ética*. . . Mas para hacer plenamente comprensibles estas insinuaciones, es indispensable proceder a abordar otros temas. Antes, empero, de proceder a ello, se impone prevenir una mala inteligencia y la probable consecuente malquerencia.

Nada de lo anterior solapa desdén alguno por lo estético y la Estética. El punto de lo anterior no está propiamente en la distinción entre la disciplina estética y sus objetos y las disciplinas no estéticas y los suyos, sino entre esteticismo y practicismo con los objetos y en las disciplinas estéticos y no estéticos por igual. Como ante lo no estético cabe una actitud esteticista, cual la advertida a –no *en*– la filosofía de lo mexicano y del mexicano, cabe con lo estético una actividad práctica: como deleitarse morosamente ante los modos no estéticos de ser del mexicano, pugnar con la doctrina y la crítica estéticas por el progreso del arte mexicano o la belleza de las ciudades de México, de la vida toda de sus moradores.

29. *Sobrenaturalismo o inmanentismo*

El filósofo norteamericano Patrick Romanell ha hecho a algunos de los colaboradores de la filosofía del mexicano objeto de una crítica[14] que viene a coincidir curiosamente con la incoada en el parágrafo anterior. Los aludidos colaboradores de la filosofía del mexicano vendrían caracterizando a éste mediante conceptos fundamental, si es que no exclusivamente, metafísicos, religiosos, sobrenaturalistas. Al filósofo norteamericano le parece que semejante caracterización delata una preocupación, una predilección por el más allá, y una correlativa indiferencia por el más acá, que apartan, o amenazan con apartar, de interesarse por los problemas del más acá de México y por su resolución, imperativa bajo el punto de vista del progreso, no sólo material, sino también espiritual, del país, y por lo mismo bajo el punto de vista de los deberes morales para con la patria. Para el filósofo norteamericano sería el sobrenaturalismo de parte de la filosofía del mexicano tan poco práctico, pues, como en el parágrafo anterior se insinuó que lo sería el esteticismo de otra parte de la misma filosofía. Podría ser, incluso, que ambas partes fuesen parcialmente, a su vez, la misma: que en el mentado sobrenaturalismo hubiese algún que otro punto, cuando menos, de esteticismo de lo religioso, que es algo tan soberanamente dramático, por ejemplo.

En todo caso, son indispensables aquí ciertas observaciones acerca de un sobrenaturalismo como el mentado. El esteticismo de los fenómenos religiosos no puede conceptuarse sino de una degeneración o degradación de lo religioso bajo el punto de vista de la autenticidad de esto, que está justamente en ser los problemas cuya resolución práctica no sólo puede, sino que debe interesar más al hombre. Las soluciones que se den a los problemas religiosos podrán ser religiosas ellas mismas o irreligiosas, podrán llegar a disolver los problemas mismos; éstos no apartan de interesarse por los del más acá, de México o de donde sea, en la medida en que los problemas del más alla forman parte del más acá: para el hombre religioso no hay en esta su vida en este mundo problema más fundamental, más capital que digamos, que el de su salvación en la otra vida, en el otro mundo; y uno de los grupos de problemas –que no un simple problema– a los que bien pudieran aplicarse los filósofos del mexicano es el de los problemas del México de hoy relacionados con la religión.[15] La Teología filosófica, acometida directa del problema por excelencia del más allá, del problema de Dios, ha venido a quedar incluida en la Filosofía de la Religión –incluso en libros neoescolásticos– como Filosofía de un sector de la cultura que en cuanto tal forma parte de la vida del hombre en este mundo, sería parte del más acá aun cuando el más allá de la fe careciese de la realidad que para ésta tiene. Los problemas de lo trascendente se replantean en la actualidad como problemas inmanentes a la cultura –e incluso a la cultura "circunstanciada", por ejemplo, nacionalmente– aun para el más extremado "inmanentismo" o afirmación exclusiva de este mundo y esta vida. Es lo que va a completar el parágrafo siguiente.

30. *Nacionalismo o universalismo*

La idea de que elaborar una filosofía del mexicano y de lo mexicano es la mejor manera de elaborar una filosofía mexicana, es especificación de una idea más general: la de que elaborar una filosofía de la propia nacionalidad, en el doble sentido de este término, el objetivo de nación e historia y cultura nacionales y el subjetivo de carácter del individuo en cuanto miembro de una nación, es la mejor manera de elaborar una filosofía nacional u original de filósofos de una nacionalidad que sea una filosofía nueva relativamente a las originales de filósofos de otras nacionalidades y que presente características nacionales. De estas tres notas se requiere la concurrencia en una filosofía para considerarla como propia, en el doble sentido de la pertenencia y de la índole distintiva, del pueblo de esa nacionalidad y calificarla con el gentilicio de ésta. Ahora bien, la idea más general que se acaba de enunciar representa una solución al problema de las relaciones entre Filosofía y nacionalidad.

En las enseñanzas dadas acerca de estas relaciones por la Historia de la Filosofía empezaría la solución total.

La Historia de la Filosofía parece enseñar una compleja evolución histórica de la Filosofía. Ante todo, de sus objetos, desde la universalidad y trascendencia de ellos hacia su inmanencia y particularidad: desde el sistema metafísico-teológico del universo hacia los problemas de las Filosofías de la ciencia, de la religión, de la sociedad, de la política, de la economía, del arte, de la literatura. . ., en suma, de la cultura en general y en sus sectores y de culturas particulares y sectores de ellas.

Incluso los sistemas metafísico-teológicos del universo pudieran ser más particulares, si no más inmanentistas, de lo que han parecido en general hasta ahora. La teoría de las ideas de Platón o la teología de Aristóteles pudieran ser soluciones a problemas tanto, por lo menos, de la *polis* griega cuanto universales: el problema universal de las ideas generales, el problema universal de la causa primera, problemas universales en el doble sentido de referirse a la totalidad del universo y de plantearse a todos los hombres.

En todo caso, la evolución histórica de los objetos de la Filosofía parece contenida en una evolución histórica de las relaciones entre la Filosofía y la ciencia. En el principio fue la Filosofía como *la* ciencia. Casi desde el principio, hasta hoy, han venido separándose de la Filosofía como *la* ciencia ciencias y ciencias especiales: desde la Matemática y la Medicina, para nombrar las primeras que se constituyeron aparte, hasta la Psicología, para nombrar una de las últimas que se han separado de la Filosofía. Mas parece como si ésta se sintiera tanto más atraída por las ciencias: propende a reducirse a Filosofía de las Ciencias; es difícil diferenciar de las ciencias, principalmente de algunas ciencias humanas, las correspondientes Filosofías, por ejemplo, de la Sociología la Filosofía de la Sociedad.

Tal evolución de las relaciones entre la Filosofía y la ciencia tiene por razón de ser, al menos parcial, una evolución histórica de las ideas de la Filosofía acerca de sí misma como forma del saber. Quizá la totalidad de los grandes filósofos, incluyendo a los de nuestros días, han concebido las respectivas filosofías como la solución definitiva de ciertos problemas;[16] pero la persistencia de éstos a través de la pluralidad de aquéllas ha generalizado notoriamente la idea de que la Filosofía sería un replanteamiento indefinido de ciertos problemas eternos más bien que la solución definitiva de problema alguno, a diferencia de las ciencias, que resuelven los problemas que se plantean o se les plantean, aunque en este punto haya diferencias entre extremos como los de la Matemática y de la Sociología, para insistir en un mismo ejemplo. Semejante idea desvía de la Filosofía hacia la ciencia a los espíritus que prefieren a la rumia de problemas insolubles la resolución de problemas.

La evolución histórica de los objetos de la Filosofía ha sido acompañada de una evolución histórica de las ideas de la Filosofía acerca de su sujeto: desde la idea de que éste era o debía ser un sujeto tan universal y hasta tan trascendente como sus objetos, la Razón, simplemente incorporada en el filósofo, hacia la idea de que su sujeto no puede ser sino un sujeto menos universal y trascendente, el filósofo de este pueblo o nación o del otro, de este tiempo o de aquél, el filósofo individual del caso. Las dos evoluciones, de los objetos de la Filosofía y de las ideas de ésta acerca de su sujeto, convergen en hacer de la Filosofía, por un lado, una filosofía de sí, un filosofar del filósofo sobre sí mismo, incluso sobre su propio filosofar, y, por otro lado, una Filosofía allegada a las ciencias, si no absorbida por éstas. De esta convergencia serían la actividad enderezada a elaborar una filosofía del mexicano y la no filosófica que se mueve en torno de ella, la manifestación más cercana en el tiempo y en el espacio al presente trabajo.

La Historia de la Filosofía parece enseñar también que las filosofías de los filósofos de distintas nacionalidades tienen características nacionales: en este sentido se habla del eidetismo de la filosofía griega, del empirismo de la inglesa, del racionalismo de la francesa, del pragmatismo como filosofía característicamente norteamericana, y podría hablarse de la filosofía trascendental como característica de la alemana. Las ideas crecientemente predominantes en la compleja evolución histórica de la Filosofía resumida en los apartes anteriores hacen comprender semejantes características nacionales de las filosofías: si objetos y sujetos de las filosofías son, al menos por un lado o en un aspecto, nacionales, se comprende que las características nacionales de los objetos y el carácter nacional de los sujetos afecten al filosofar mismo de éstos sobre aquéllos, equivalgan a preferencias por ciertos objetos, determinen maneras de pensar sobre ellos, y todo espontánea, voluntaria, inconscientemente por parte de los filósofos, incluso en contra de su voluntad de universalidad. En especial se comprendería, pues, cómo filosofar sobre la propia nacionalidad sea la mejor manera de elaborar una filosofía nacional.

Las mismas ideas pueden dar la impresión de privar a las filosofías particulares de todo alcance humano universal –a los imbuidos aún de las ideas predominantes anteriormente. Para los imbuidos ya de las crecientemente predominantes pueden tener las filosofías particulares alcance humano universal por obra de un rodeo más sutil y refinado: no sería un objeto abstracto común a todos los individuos humanos lo único que tendría alcance humano universal; lo humano particular, incluso individual, tendría alcance humano universal en la medida del interés de cada uno de los hombres, con lo que le es individualmente propio, para cada uno de los demás, o en la medida del interés de cada uno de los hombres por cada uno de los demás con lo que les es individualmente propio. . . Este interés se presenta como un ideal de liberal y pacífica convivencia humana universal, y para aquel para quien así se presenta, como un deber. De este deber general puede ser parte el de tomarla en el diálogo filosófico internacional –como en el científico: deber y no sólo gusto y vanidad de darse a conocer, de llegar a ser conocido y reconocido.

Y este deber tiene, con todo lo anterior de este parágrafo, una condición de posibilidad, y la solución al problema de las relaciones entre Filosofía y nacionalidad una parte más de su totalidad, en la constitución de la historia. Esta es sucesión de diferencias colectivas –entre ellas nacionales– e individuales. La actualidad nacional –sujetos con sus objetos– es de suyo más o menos nueva relativamente a la extranjera y al pasado de ambas: cuanto sea "expresión" de ella, será "expresión" tan nueva como ella. La novedad de una filosofía no parece poder estar sino en el planteamiento de problemas nuevos –al que se reduciría en rigor el planteamiento nuevo de problemas viejos– o en las soluciones nuevas a los problemas nuevos –a las que se reducirían en rigor las soluciones viejas a problemas nuevos; ahora bien, los problemas de la actualidad nacional serían tan nuevos como ella –son ella, como se explanará en el parágrafo próximo; bastaría, pues, que ellos o las soluciones que se les diesen fueran filosóficos. . . En fin, la "ulterioridad" de la historia asegura la novedad de ésta en general en sus partes –mientras la novedad no consista precisamente en la extinción de una de éstas y en la medida en que sea segura la "ulterioridad" misma.

Y esta constitución de la historia tiene la condición de su posibilidad, y la solución al problema de las relaciones entre Filosofía y nacionalidad logra su totalidad, en la constitución del universo: desde la unidad absoluta del universo mismo, esferas de circunstancias decrecientemente generales y comunes en torno espacial y temporal a cada uno de los individuos, unidades absolutas del universo; dentro de la unidad absoluta del universo entra lo sobrenatural mismo, por trascendente que sea al resto de la totalidad de lo real en algún sentido; y de algunas de las esferas aludidas no son cosa distinta las condiciones de posibilidad o la realidad misma de diálogos como el mentado en aparte anterior.

–Luego, a qué preocuparse por lo nuevo y lo nacional del objeto de la Filosofía, si ello está de suyo garantizado por nada menos, en último término, que la constitución del universo.

–A que la libre preocupación por ello es el medio por el cual lo garantiza la constitución del universo; a que la preocupación misma con su libertad son lo que es parte de la constitución del universo. . .

31. *Ontología u óntica*

"¿Qué plan peleamos?"

No hay experiencia más vulgar que la de que los hombres vamos viviendo nuestra vida haciendo planes para ella que van cambiando por obra de ella. En esta experiencia se hallan embutidas y pueden ponerse de manifiesto las relaciones entre la esencia y la existencia. En efecto, puede traducirse así: los hombres vamos existiendo[17] haciéndonos ideas de la respectiva esencial individual que son otros tantos ideales, pero que –o, más exactamente, porque– van cambiando por obra de la existencia misma de cada cual.

En general, cada uno de nosotros va viviendo la realidad, en el sentido más amplio posible de este último término, como una concreción de ingredientes ideales o esenciales, también en el sentido más amplio posible de este último término, y de ingredientes reales o existenciales, en el sentido de ingredientes de distinta especie que los anteriores. La concreción de estas dos especies de ingredientes consiste en complicadas relaciones entre unos y otros. No vivimos los existenciales sino en y a través de los esenciales, ni éstos aparte de los existenciales más que como abstraídos o abstractos de éstos por obra de nuestro pensamiento y en él o para él. Pero en unos casos vivimos algo como existencial, porque en la vivencia prevalece lo existencial sobre lo esencial, mientras que en otros casos vivimos algo como esencial, porque lo pensamos en abstracción de lo existencial con lo que está concreto. Asimismo en unos casos lo vivido como existencial es vivido como anterior a lo vivido como esencial, y a la inversa en otros casos. Estas relaciones de anterioridad, con las correlativas de posterioridad, son unas veces, o por un lado, de sucesión temporal, pero otras veces, o por otro lado, de orden lógico, ontológico o axiológico dentro de la simultaneidad o en abstracción de toda temporalidad: algo existencial hace pensar en algo esencial; algo esencial hace percibir algo existencial; pensamos algo esencial como la condición de posibilidad de algo existencial. . . Es el origen de los conceptos de *a priori* y *a posteriori*, genético (cronológico, psicológico) o lógico (ontológico, axiológico), de las ideas o intuiciones de las esencias, o de éstas mismas, a la experiencia sensible, esto es, a la existencia –en el sentido antes puntualizado–, individual e histórica. Hay máximos de apriorismo y de aposteriorismo, con los contrarios mínimos, pero sólo articulados de forma que todo máximo conlleva un mínimo de lo contrario: así, ni la Filosofía, propensa al máximo de apriorismo, ni la Matemática pueden prescindir de un mínimo de aposteriorismo, aunque sólo fuese el de la génesis empírica de filosofemas y matematemas; ni las ciencias que más se quieren y conciben empíricas dejan, porque no pueden otra cosa, de usar de categorías y principios lógicamente apriorísticos.

En el sentido de tales relaciones puede decirse que el ir viviendo o existiendo consiste en ir haciendo cosas, no sólo materiales, sino inmateriales, y al ir haciendo las unas y las otras, ir haciéndose cada cual a sí mismo; y que lo que cada cual va haciéndose es lo que va siendo; o que cada cual va confeccionando con su individual existencia su esencial individual, hasta perfeccionarla en la muerte; o que cada cual va *existiendo* su *esencia* –pero sin olvidar que esta esencia que cada cual va existiendo, va decidiendo, recíprocamente, de su existencia.

Por lo mismo, cuando lo que hace un hombre es teorizar, no se reduce a contemplar o especular –espejar– estática e ineficientemente esencias: éstas son agentes y resultados dinámicos en la concreción de la realidad; también con el hacer teoría se hace, pues, el hombre a sí mismo. Cuanto hacemos los hombres, sin exceptuar las *teorías*, es *práctica*, hacerse a sí mismo –*praxis, agere, to do, tun*, no *póiesis, facere, to make, machen.* Ello, aunque la práctica no verse reflexivamente sobre uno mismo; si versa, doblemente. Y este hacernos se extiende por los tres momentos del tiempo: no sólo estamos haciéndonos en cada sucesivo presente, sino que en cada sucesivo presente estamos haciéndonos también hacia el correspondiente futuro y aun hacia el correspondiente pasado, aunque sólo sea en cuanto que cada nueva idea de nosotros mismos consiste en un nuevo ideal de nosotros mismos, naturalmente para el futuro, y una nueva idea de nosotros mismos en el pasado; idea retrospectiva que es efecto retroactivo del ideal presente, lo que evidencia la primacía del futuro sobre los otros dos momentos del tiempo.[18] Por lo demás, decir que vamos viviendo la realidad como una concreción de ingredientes por mitad esenciales y decir que todos los hombres tenemos que teorizar más o menos propia y frecuentemente, viene a ser tautológico.[19]

Pues bien, tener que ir haciéndose a sí mismo teorizando, en parte sobre sí mismo, o tener que ir confeccionándose la propia esencia haciéndose ideas de ella que son otros tantos ideales para el futuro, es existir no sólo como ente al que se le plantean problemas, ni siquiera que se los plantea y que en todo caso tiene que resolverlos: es existir como problema y resolución del mismo –o existir, pura y simplemente, si existir como problema y resolución del mismo es propia y exclusivamente "existir"–, es ser problema y resolución del mismo. El problema comprende sendas notas de teoría, práctica, futuro ideal, con las cuales se articula también la correlativa solución. El problema implica la dualidad dinámica de una realidad valorada de insuficiente y un ideal valorado de suficiente –relativamente: aquella realidad empuja hacia más allá de ella; el ideal tira hacia él. La actual actualización sucesiva de esta dinámica o dinamicidad es la resolución, la solución. Y problemas o dinámica o dinamicidad y soluciones o actos no son nunca puramente teóricos, sino siempre también prácticos: pues aun cuando no tienen resultados –poéticos, como debiera decirse en lugar de lo que se dice, prácticos, siempre los tienen de esta índole, según lo que se indicó antes. En semejante problemática, o en semejante problematicidad, con la correlativa actualidad resolutiva, consiste la actualidad temporal y real *strictissimo sensu* de cada cual –consiste actualmente en este doble sentido cada cual: semejante problematicidad-resolutividad *es* cada cual. Con semejante problematicidad-resolutividad se identifica la *autenticidad*, la individualidad, la personalidad única, original y fiel a sí misma en estas su unicidad y originalidad. Sólo, pues, en el planteamiento y resolución teórico-prácticos de los propios problemas, de los problemas en que se consiste, que se es, puede "lograrse" la autenticidad.

Cuanto acaba de decirse de la vida o existencia humana individual debe decirse de la colectiva o histórica. Los humanos individuos estamos en relación unos con otros por medio de esencias comunes –generales, universales– y en relaciones directamente existenciales, como el interés, mentado en el parágrafo anterior, de cada uno por otros, si no por todos los demás, en lo que tienen de individual. Una y otras relaciones constituyen en torno a cada uno las esferas de circunstancias mentadas asimismo en el parágrafo anterior. En cuanto a una colectivas y temporales son estas esferas históricas. Y en las históricas vamos los hombres existiendo esencias colectivas de extensión creciente, hasta la de la especie o género humano; vamos "historiando" estas esencias, no en el sentido de hacer Historia de ellas, sino en el de hacerlas históricamente a ellas y hacer la historia con ellas. Y esta existencia colectiva, la historia, en sus distintas esferas, entre ellas la que interesa expresamente en este contexto, la nacional, no es menos que la individual, problemas y resolución de los mismos. Por eso se insinuó ya en el parágrafo anterior que el mexicano es un problema –y una solución, en el sentido que resultará explanado con lo que sigue.

Los filósofos del mexicano, aunque creyeran e incluso quisieran no hacer más que teorizar sobre el mexicano, vienen cooperando, con sus compatriotas y con los demás hombres que en alguna forma también cooperan a ello, a confeccionarlo existencial y esencialmente, confeccionándose en estos dos sentidos a sí mismos, confeccionando en los mismos dos sentidos a sus compatriotas, y a éstos y a sí mismos en el presente, el futuro y el pasado. Pero esto que es *de hecho* así, *debe ser* con arreglo a cierto método. No el de la descripción esteticista de fenómenos, sino el del planteamiento y resolución de los problemas de la circunstancia nacional actual. No se trata de tomar el mexicano por sujeto de proposiciones para predicar de él, por medio de la cópula "es", tales o cuales notas; se trata de dar expresión a la efectiva confección existencial, histórica, de la esencia del mexicano, confección a la que contribuye este mismo darle expresión, en proposiciones que vengan a decir "esto que estoy haciendo porque quiero hacer o que se haga esto otro, porque quiero que se haga tal México, esto es en este momento ser mexicano". La cuestión, el problema no es describir modos de este ser, ni siquiera este ser mismo, si fuera posible describirlo directamente, sino hacer un examen de conciencia de ideales mexicanos, que responderán a la conciencia de otros tantos problemas mexicanos, examen que dará por resultado la excogitación de soluciones, medios, remedios. Lo descriptivo ha de reducirse a lo definitorio requerido por la conceptuación de los problemas y las soluciones. En conclusión, el método de la filosofía del mexicano debe ser la actividad teórico-práctica, eidético-existencial, de planteamiento y resolución de los problemas de la circunstancia mexicana actual. Superfluo añadir que semejante método no será plenamente real en la sola teoría de tal actividad, sino sólo en la práctica misma de ésta. Y únicamente en la plena realidad de semejante método puede el "existencialismo" ser una filosofía consistente, *qua* tal filosofía, no simplemente en pesar el mundo, sino también en transformarlo, y capaz de "ein produktives Gespräch mit dem Marxismus".[20] Como únicamente en ser una filosofía consistente en lo que acaba de apuntarse radica el famoso comprometerse y la famosa responsabilidad del filósofo, que *son* la confección existencial misma de la esencia de uno u otro hombre –individual, nacional, el hombre–, confección *ética*, porque la esencia en confección es un *ethos*. Todo ello, pero ello exclusivamente, puede dar de sí métodos más especiales o parciales autóctonos de los problemas mexicanos mismos, conceptos, tesis y doctrinas oriundas de estos problemas o tan originales como éstos mismos, en suma, la filosofía del mexicano auténticamente mexicana, o simplemente auténtica, o mexicana, de que se siente afán.

En lo anterior parece haber una fundamental contradicción. Por una parte, se afirma una problematicidad y una practicidad tales de la existencia humana individual y colectiva, que nada de ésta se les sustraería, ni siquiera la presunta teoría pura. Por otra parte, se hace tal distinción entre fenómenos y esteticismo, de un lado, y problemas y practicismo, de otro lado, que los primeros parecen sustraerse a la problematicidad y practicidad de la existencia humana. Pero en realidad no hay más contradicción que esa dualidad distintiva del hombre, el fondo último de la cual es la posibilidad de la autonegación, de la autoaniquilación del hombre *qua* hombre. Cuando lo que se *hace* es deleitarse morosamente, también con la delectación morosa se hace uno a sí mismo, pero se hace deshaciéndose. . .[21] El esteticismo de los fenómenos es "modo" bien distinto de la creación y aun de la contemplación estéticas auténticas, activas. En suma, la existencia humana, individual y colectiva, *es* planteamiento y resolución teórico-práctica, y "poética", de problemas –que *puede* tender a la aproblematicidad o a la apraxía como un problema más cuya solución ve en estas últimas; pero aun la eidética en general y la estética en especial *deben* ser práctico-poéticas, "ideando" problemas, entre ellos estéticos, y soluciones a los mismos.

Ahora bien, una filosofía como la del mexicano, que parece no poder ser sino una filosofía del *ser* del mexicano, concíbase este ser como esencia o como existencia, parece no poder ser tampoco sino una *Ontología* del mexicano: Filosofía del ser es Ontología; "del mexicano" especificaría simplemente sobre cúyo ser se filosofa en el caso. Pero al concepto de "Ontología del mexicano" suscita la consideración de los dos componentes del nombre de Ontología sendos reparos.

El *ser* objeto del *logos* parece poder ser el ser *en general* o el ser de un ente, ente y ser *determinados genérica, específica o individualmente.*

Pero si *ser,* en rigor, es exclusivamente el no determinado de ningún modo, ni siquiera divido en esencia y existencia, sería de un mal uso lingüístico hablar del ser de un ente determinado, y no de la existencia o de la esencia de tal ente, aunque sea un mal uso explicable por las leyes a que obedece la transferencia de los sentidos de unas palabras a otras en la vida del lenguaje. En todo caso, ¿no convendría reservar el nombre de Ontología para la Filosofía del ser en general, aunque sólo fuese por razones de técnica terminológica?

Más decisiva aún parece la consideración del otro componente del nombre de Ontología. Lo que hay de *logos* en la Ontología ha movido secularmente a concebir ésta, a concebir la práctica de ella, como pura teoría. Pero el *logos* de que es objeto el ser en general no es menos práctico que aquel de que pueda hacerse objeto a la esencia o la existencia de un ente determinado, en el sentido explanado en lo anterior de este parágrafo. En este sentido, más propio sería hablar de *ontopraxía.*[22] También pudiera decirse *óntica*. Ontología dice expresa relación al *logos* y debiera reservarse para el *logos* sobre el ser en general. Óntica no dice expresa relación al *logos*: en cambio, rima con práctica en el sufijo nominal peculiar de las "técnicas" o artes en griego; y puede entenderse en referencia directa al ente. En todo caso, lo que importa es que el nombre traduzca lo más fiel e inequívocamente la cosa: que el método de una filosofía como la del mexicano sólo sería justamente ontológico en cuanto óntico.[23]

Y ahora cabe expresar que lo dicho en este parágrafo hasta aquí baste para que se avizore, al menos, todo lo siguiente.

Cómo no pueda menos de ser circular la prelación entre la intuición de las esencias y la elección de los ejemplares correspondientes: aporía del hecho ejemplar de la esencia.

Cómo no haya esencias fijas *a priori*: aporía de la esencia del hecho ejemplar.

Cómo no haya historicismo ni existencialismo puros, por no poder haberlos, al no haber para el hombre existencia ni historia sino en y a través de esencias:[24] aporía del historicismo y existencialismo.

Cómo no haya Historia que no entrañe alguna filosofía, ni filosofía que no se dé en el seno de una circunstancia histórica, por lo que aun en el caso de creer empezar por la Historia, se habrá empezado por una filosofía, y en todo caso se debe proceder a hacer lo más consciente o cabal posible la propia o apropiada filosofía y lo más consciente la historia circunstante en una Historia lo más cabal posible.

Cómo Historia y fenomenología son existenciales en dos sentidos: en cuanto que cooperan a la confección existencial e histórica de las esencias y en cuanto que son objeto de una confección semejante ellas mismas. Y cómo cabría coordinar el existencialismo con la confección de la propia esencia individual y el historicismo con la confección de las esencias colectivas.[25]

Mas del contenido del presente parágrafo es supuesto la existencia de problemas de una circunstancia como la mexicana actual calificables con propiedad de filosóficos –y este supuesto es él mismo problemático. Los problemas de una circunstancia como la mexicana actual pudieran ser calificables, en rigor, exclusivamente de científicos. Se trata del problema de la distinción de la Filosofía relativamente a las ciencias –del problema de la situación actual y del destino de la Filosofía. . .

32. *El trabajo individual y el colectivo*

El parágrafo anterior ha intentado sugerir cómo cosa alguna es plenamente real sino en la plena concreción de la realidad universal. Y ha abocetado una idea "activista" de la Filosofía. A pesar de ambas cosas, ni siquiera él ha tratado sino de la *filosofía* del mexicano, en una abstracción muy alejada de esta actividad en su concreta realidad. La filosofía del mexicano no es real sino en la concreta actividad de las personas que vienen haciéndola con ella. Hay que acercarse un poco más a esta actividad.

El planteamiento y resolución de los problemas de una circunstancia como la mexicana actual, aun tratándose exclusivamente de los problemas filosóficos o menesterosos y susceptibles de una solución filosófica, requiere tanto y tal trabajo, que no parece posible llevarlo a cabo sino por vía de división o especialización entre un buen número de personas. No sólo cuantitativamente parece superior a la capacidad de trabajo de cualquier persona; aun tratándose exclusivamente de trabajo filosófico, sus indispensables conexiones con otras disciplinas, las más varias, en realidad con todos los demás sectores de la cultura, de la vida, le hacen superior también a la competencia de cualquier persona. Mas en cuanto se impone la necesidad de una división o especialización del trabajo en los días presentes, para el ambiente espiritual o clima de opinión de éstos se impone, asimismo, inmediatamente la necesidad de organizarlo, o planificarlo o coordinarlo, para decirlo con términos más del gusto de las preferencias actuales. Con perdón, empero, del ambiente espiritual o clima de opinión de los días presentes, es más cierto, por ser más exacto, que no ya la necesidad, o, más modestamente, la simple conveniencia, sino incluso la posibilidad, y tampoco sólo de la coordinación, planificación u organización del trabajo, sino incluso, nuevamente, de la división del mismo, son mayores o menores según las distintas disciplinas: Filosofía, distintas ciencias, demás disciplinas, como las artísticas. Más para proceder desde luego sobre la base de la posibilidad, y aun de la conveniencia, de la división del trabajo filosófico relativo al planteamiento y resolución de los problemas de una circunstancia como la mexicana actual, y de la organización del mismo, dentro de ciertos límites, basta el hecho de la existencia, en la historia en general, pero muy singularmente en la que ya tiene la filosofía del mexicano, de dos formas cardinales de división y organización del trabajo de filosofar, a saber, la escuela y el grupo. Un somero examen, único-posible en este lugar, de estas dos formas de división y organización del trabajo del filosofar, conducirá de suyo a señalar los límites que aconseja, y hasta que impone, a la división y organización del trabajo filosófico relativo al planteamiento y resolución de los problemas de una circunstancia como la mexicana actual la índole filosófica del trabajo.

Lo distintivo de la escuela es la formación de los discípulos por el maestro mediante el trabajo de los primeros en los problemas y con los métodos del segundo. Ningún maestro puede formar a discípulo alguno sino haciéndole trabajar en los únicos problemas y con los únicos métodos de su competencia, de la del maestro, a saber, aquellos problemas y métodos que éste ha hecho suyos. O recíprocamente, quienes prefieran a la formación autodidáctica la formación por un maestro, tienen que resolverse a trabajar en los problemas y con los métodos de éste, o que hacer, a su vez, suyos unos y otros. A trabajar no se aprende con un maestro, o recíprocamente, éste no puede enseñar a trabajar, sino mostrando y explicando sus propios trabajos a los discípulos, para que les sirvan a éstos de ejemplo en los trabajos que él les haya propuesto o haya aceptado a propuesta de ellos, o explicando o mostrando a los discípulos cómo haría él estos trabajos, para que ellos los emprendan en forma semejante; en todo caso, corrigiendo o criticando el maestro los trabajos de los discípulos a medida del avance de los mismos, y procurando, no sólo los discípulos, sino el propio maestro, tampoco sólo que los primeros logren hacer suyos los problemas y métodos del segundo, sino sobre todo que los primeros procedan cada vez más independientemente, hasta poder prescindir de los problemas y métodos del segundo, sustituyéndolos por problemas y métodos que respondan al desarrollo de la respectiva personalidad. Por eso el órgano por excelencia de la escuela es el seminario —o el laboratorio.

En este punto hay una diferencia capital entre la escuela y el grupo. La diferencia capital entre ambos no está en que en la escuela haya la distinción maestro-discípulos y en el grupo no haya ninguna distinción semejante, sino sólo compañeros o camaradas: el grupo puede tener líder o jefe; quizá, incluso, necesite tenerlo. Pero la relación entre el maestro y los discípulos es una relación propiamente docente-discente, mientras que no lo es la relación ni siquiera entre el líder o jefe de un grupo y sus compañeros o camaradas. Sería muy impropio llamar seminario a forma alguna de trabajo de un grupo como tal. La escuela trabaja por enseñanza-aprendizaje en los términos apuntados; el grupo, más bien por coincidencia de los miembros en el interés por ciertos temas y en cierta posición relativamente a éstos, y por la consiguiente comunicación entre ellos, los miembros, y el resultante paralelismo o convergencia de sus actividades y de los resultados de éstas, nada de lo cual impide que uno de los miembros asuma la iniciativa y hasta el mando, como puede requerirlo, sobre todo, el proceder el grupo a actuar más allá de sí. Pero es claro que entre el magisterio del maestro y la iniciativa o el mando del líder o jefe del grupo caben, como entre la escuela y el grupo en general, formas intermedias, de las que sólo se destacan netamente las extremas opuestas, según suele pasar en las cosas humanas: por ejemplo, la comunicación y crítica mutua de los trabajos de los condiscípulos o de sus resultados, el cambio de ideas y la discusión entre condiscípulos, pueden aproximarse a las formas de relación entre los miembros de un grupo.

En todo caso, todas las incumbencias, menos una, del planteamiento y resolución de problemas como los de la circunstancia mexicana actual parecen igualmente asequibles a la escuela y al grupo, aunque a éste quizá sólo en el caso de tener líder o jefe: el redactar el repertorio de los problemas, en las debidas subordinación de unos a otros y coordinación de unos con otros; el encargar las investigaciones correspondientes a los investigadores competentes; el controlar las investigaciones, o sus resultados, por medio de la dirección, la inspección, la crítica; el promover y sostener vocaciones de investigador en las materias requeridas; el formar investigadores en estas materias. . . Esta incumbencia sería la única no asequible al grupo.

Ahora bien, el lograr maestro y discípulos que éstos hagan suyos los problemas y métodos de aquél supone la comunicabilidad de problemas y métodos. Esta comunicabilidad se funda, ante todo, en la objetividad de unos y otros, en el sentido de la posibilidad de independizarse de un sujeto determinado para pasar a posesión de otros. Esta objetividad es máxima en los métodos más materiales y en los problemas solubles con estos métodos; mínima en los métodos menos materiales, que vienen a ser más bien que métodos procederes y hasta puras inspiraciones personales, y en los problemas solubles sólo por estos procederes e inspiraciones. Esta distinción no corresponde sólo a una distinción de clases de disciplinas, por ejemplo, ciencias naturales, a un lado, ciencias humanas, Filosofía, arte, a otro lado; corresponde también a una distinción de técnicas y descubrimiento, invención o creación que se da en todas las clases de disciplinas: hay en arte técnicas tan exactas como las de la música o la pintura, y aun tratándose de las técnicas en las ciencias naturales, por ejemplo, una técnica de tinción histológica, la creación, incluso genial, de ellas. Sin embargo, esta distinción de técnicas y creación se da diversamente en las distintas clases de disciplinas: para hacer referencia singular a la disciplina que interesa también singularmente en este lugar, del acercarse a las ciencias o alejarse de ellas la Filosofía depende el que en ésta se hagan valer más o menos, respectivamente, las técnicas relativamente a la creación. Pues bien, según el grado de su objetividad son problemas y métodos comunicables no simplemente más o menos, sino, sobre todo, de diferente manera. Los más objetivos son comunicables por exhibición material y comunicación intelectual prácticamente pura; los menos objetivos, los susceptibles, en rigor, no de objetivación, sino tan sólo de repetición o reproducción por cada uno de varios sujetos, tampoco son comunicables sino sólo por obra del ejemplo de la conducta íntegramente personal y de la comunicación intelectual, afectiva y volitiva entre los espíritus. De esta comunicación es de la que es órgano por excelencia "el santo sacramento de la conversación", el diálogo en su más pura y alta forma, aquella en que no sirve a la transmisión de conocimientos, ni siquiera a la mayéutica de las ideas, sino a la compenetración de los espíritus, por comunión no sólo en las palabras, sino también, y quizá más aún, en los silencios, que no son menos parte de él. Para insistir en la misma referencia singular, a la Filosofía, según que se la conciba y *viva* como pura disciplina científica o como toda una forma de vida, podrá responderle una escuela como las de las ciencias o sólo una escuela comparable a ciertas formas de asociación religiosa. Y cosas parecidas cabría decir de los temas, posición, comunicación y actividades del grupo y de éste mismo en conjunto. Por lo que, como conclusión, una filosofía del mexicano concebida como planteamiento y resolución científicos de problemas aproximaría sus escuelas y grupos a los científicos; una filosofía del mexicano vivida como expresión de una mística nacionalista aproximaría sus escuelas y grupos a las aludidas formas de asociación religiosas.

En todas sus variedades son la escuela y el grupo formas de organización del trabajo forzadas a una peculiar combinación de esoterismo y exoterismo. El trabajo intelectual en general requiere abstracción, pero no sólo en el habitual sentido puramente intelectual, sino también en el sentido de abstraerse del resto de la vida en la intimidad de unas pocas personas y de cada uno para sí, y muy prolongada o reiteradamente. Pero el trabajo propio de la escuela y del grupo requiere también la relación de éstos con el exterior, con otras escuelas o grupos, con los trabajadores sueltos en las mismas materias que puede haber, con las instituciones, en particular las oficiales o del Estado, con éste mismo, con el público o la sociedad en general. Ante todo, escuela y grupo necesitan de la fecundación ideal por el mundo en torno, para no quedar, por vírgenes a las influencias de éste, estériles en un prematuro envejecimiento momificador. No menos necesitan de la ayuda más material del mismo mundo en múltiples formas, positivas y negativas o de acción y de omisión. Es relativamente fácil promover vocaciones intelectuales puras en el ánimo entusiasta y desembarazado de preocupaciones, necesidades y deberes de los jóvenes –relativamente, comparado con la dificultad del sostenimiento de las vocaciones en medio del contraste entre, por un lado, la incompatibilidad de la fidelidad a ellas con la satisfacción de las necesidades y el cumplimiento de los deberes propios de la madurez de la vida y, por otro lado, el espectáculo de los éxitos económicos y sociales de las actividades menos puras. En renunciar a estos éxitos está ya, y no sólo en la renuncia a aquella satisfacción o aquel cumplimiento, inhumana, inmoral o materialmente imposible, el heroísmo que se exige de los intelectuales con una preferencia que no está del todo claramente fundada. Escuelas y grupos necesitarían que por lo menos no se dificultara el sostenimiento de las vocaciones intelectuales puras, no negando a éstas los medios con que se contentan y evitando así la irresistible atracción ejercida en el caso contrario sobre ellas por otras dedicaciones. Superfluo detenerse en la necesidad de ayuda material en que la investigación científica se halla crecientemente con el rumbo tomado por sus técnicas. No lo será, en cambio, hacerlo un mínimo en la necesidad de la relación de escuelas y grupos con el exterior para la realización práctica de las soluciones teóricas a los problemas. El planteamiento y la resolución de problemas como los de la circunstancia mexicana actual resultaría frustráneo si su debido "practicismo" quedara cortado a mitad de su marcha hasta la transformación efectiva de la realidad. Es indispensable, no sólo dar a conocer las soluciones a los problemas, y hasta éstos mismos cuando no hay la debida conciencia de ellos, a la sociedad y en particular a su órgano ejecutivo más potente, el Estado, sino mover a éste y a aquélla a aportar a la resolución de los problemas los medios de que disponen sólo ellos. Mas ya simplemente para dar a conocer, y para mover a una acción, en suma, para toda la relación misma con el exterior, se ha menester de medios y recursos destinados específicamente a ella.

Pero, también, toda esta relación con el exterior deben procurarla escuelas y grupos cuidando, con la adecuada mezcla de energía y diplomacia, de que se lleve a cabo no en las formas invasoras desde el exterior que los devastarían, sino en las determinadas por su conveniencia bien entendida, es decir, no como mezquino interés de conventículo egoísta, sino como defensa de la única forma en que semejantes órganos al servicio de intereses nacionales, y hasta humanos en general, pueden prestarlos efectivamente, que es su forma propia. Así, es más que dudoso que conviniera incorporar a los trabajadores sueltos a los grupos o escuelas –aunque se dejasen, lo que es más dudoso todavía. Pero sería indudablemente pernicioso imponer –totalitariamente, única manera de imponerla– la incorporación de todas las escuelas o grupos en una o uno. Depende, en cambio, de las circunstancias la conveniencia del funcionamiento de escuelas y grupos como oficiales o como privados. No hay una correlación esencial y necesaria entre la escuela y la institución oficial, el grupo y la organización privada y anti-institucional: el grupo puede ser oficial; la escuela, privada. A uno y otra les conviene ser privados cuando el ser oficiales les costaría la debida libertad; ser oficiales cuando, sin peligro para la debida libertad, les proporcionaría medios y recursos indispensables, o simplemente más abundantes, no asequibles por otra vía. En todo caso, la relación de escuelas y grupos entre sí, con los trabajadores sueltos, el Estado y otras instituciones y el público o la sociedad se concreta en los medios de formación y de crítica y discusión mutuas, de los cuales los de crítica y discusión, sobre todo directa entre presentes, como la mesa redonda, apenas pueden librarse de perturbadoras reacciones del amor propio, por lo que parecen los más preferibles de todos, los medios de pura información, privada y oral como la conversación informal, y pública oral y escrita como la conferencia, la revista y el libro, de los cuales los públicos pueden utilizarse para la más amplia divulgación y para la crítica y la discusión indirectas. En materia de relaciones intelectuales quizá lo mejor sea simplemente el cambio de ideas y el dejarlas hacer su camino –porque quizá lo mejor sea, más radicalmente, la libertad de espíritu de cada cual, que consiste tanto en reivindicarla cada uno para sí cuanto en renunciar cada uno a dominar a los demás por todo medio distinto del de las ideas mismas. Al menos en filosofía parece paradigmática la conducta cartesiana.[26] Cierto que en ciencia evoluciona la investigación en un sentido que requiere crecientemente una colectivización y planificación bien venidas para el totalitarismo, si es que no conducentes a él;[27] pero quizá la consecuencia que deba sacarse no sea la de rendirse a la fatalidad, sino la de reconocer en semejante evolución un problema capital dentro del problema total de las relaciones entre "libertad y planificación" y luchar por resolverlo en el sentido de la conciliación. En cuanto a la renuncia de cada uno a dominar a los demás por todo medio distinto del de las ideas mismas, las consideraciones finales se harán en parágrafo ulterior (el 35).

Las últimas entre las anteriores implican ya el reconocer que no todo, ni mucho menos, lo relativo a formas de organización como la escuela y el grupo depende exclusivamente de las preferencias voluntarias, conscientes, de las personas, ni tampoco exclusivamente de la existencia y la acción de personalidades. Depende muy decisivamente de factores colectivos e inconscientes de la historia, entre los cuales hay que destacar expresamente aquí las modalidades históricas del proceso social de formación de la personalidad individual según las generaciones. Nadie se forma sino empezando por asimilarse los contenidos y las formas de una circunstancia cultural y, por ende, asimilándose a los miembros adultos de la misma. La desasimilación mayor o menor, quizá en ningún caso mayor que menor, pero sin duda en ningún caso total, en que consiste el desarrollo de una personalidad original, es proceso ulterior, en casos prematuramente notorio, en otros paulatino a lo largo de la vida entera. Este mismo proceso se inicia con determinadas preferencias y elecciones entre los contenidos y las formas de aquella circunstancia. Así, unos aceptan, otros repelen los maestros personales: son los autodidactos. No es posible un autodidactismo absoluto, que incluiría en sí la repulsión del magisterio del libro –como sería la pretensión de aquellos cómicos cuitados que no quieren leer para no perder la originalidad; pero el autodidactismo relativo es más o menos posible o necesario. Ni siquiera la personalidad filosófica puede formarse mediante el autodidactismo absoluto, pese a los Robinsones filosóficos como Andrenio; pero es la personalidad menos susceptible de formación por obra de puro aprendizaje de libros y aun de puro magisterio de personas. Las nuevas generaciones se forman, pues, en relaciones históricamente variables con las viejas. No todas las nuevas se colocan en la totalidad de sus miembros en la relación de oposición a las correspondientes viejas que parece general por más frecuente y llamativa. No deja de haber casos en que al menos algunos miembros de una nueva generación se colocan en una relación de menos dramática continuidad con la generación vieja. Hay generaciones de generalizada rebeldía, pero también las hay con devotos discípulos; y no es seguro que únicamente los miembros de aquéllas hayan llegado a ser personalidades originales. Pero estas relaciones son mucho más complicadas todavía. Un solo ejemplo: hay casos en que se repele el magisterio de la generación de los padres, pero no el personal o el indirecto de la generación de los abuelos, la cual no siempre deja en tales casos de dar la bienvenida, en forma de demagogia de la juventud o neogogia, al auxilio que así viene a prestarle la generación de los nietos en la defensa contra la ofensiva de la generación de los padres. Por todo ello y por relación anteriormente apuntada entre las formas de organización del trabajo intelectual y la índole de éste especificada por sus finalidades, varían con las vocaciones de los tiempos históricos, ya predominantemente filosófica, ya científica, ya dirigida hacia la "acción", las formas colectivas de formación de la individualidad, en naturaleza, como la escuela o el grupo, y en número, multiplicándose o disminuyendo unas u otras. De las formas de organización y formación de la filosofía del mexicano va a apuntar los orígenes históricos el primer parágrafo del capítulo siguiente.

1. L. Zea, *La Filosofía como Compromiso*, México, 1952, p. 214. La negación –es de justicia añadir– es el anverso de un importante reverso positivo: "Lo normal no puede estar en el pasado, sino en el futuro" (Ib.). E. Uranga, *Análisis del Ser del Mexicano*, México, 1952, p. 75, parece pensar algo distinto de la negación de Zea, pues que habla de que "la insuficiencia como tema cardinal de la ontología del mexicano requiere de la historia como iluminación de aquellos "momentos históricos" en que, de modo extremoso, se la vive auténtica o inauténticamente, es decir, de la repetición de la insuficiencia en aquellos períodos de la historia en que más particularmente se acusa o se sepulta".

2. Según lo llama J. Moreno Villa, *Cornucopia de México*, México, 1952, pp. 45 ss., finas páginas aunque el aludido investigador juzgue con razón que "las pocas voces con que a menudo tal fenómeno es nombrado resultan, en el más breve examen, imprecisas, vagas o totalmente inadecuadas. Agachado, sentado, encogido, encuclillado y acurrucado, son palabras incorrectas. . .": F. Salmerón, "Una imagen del mexicano", en *Filosofía y Letras, México* no. 41-42, enero-junio de 1951, pp. 175 ss.; la cita, en la p. 196.

3. L. c., especialmente pp. 177, 180, 183.

4. Conocido en su curso por el autor del presente trabajo debido a haberse hecho para su seminario universitario la investigación correspondiente.

5. Y no achacable a la falta de talento de los investigadores. Nadie menos que el propio Husserl, en nada menos que en la investigación de una "nota" de la conciencia tal como el sujeto, fué, vino y volvió a ir, como cuenta muy bien Francisco Romero, "Pérdida y recuperación del sujeto en Husserl", en *Filosofía Contemporánea*, Buenos Aires, 1941, pp. 111 ss.

6. En la misma escolástica se encuentran las tesis de que los predicables son entes de razón; la especie es la esencia de los individuos, más bien que no la esencia esencia de la especie o la esencia la especie misma; y la suma dificultad de determinar en el orden ontológico la especie o la esencia, o la diferencia esencial, y el correlativo contentarse con el concepto universal que exhibe todo y sólo aquello que se considera esencial aquí y ahora. . .

7. "El mexicano no puede definirse porque está formándose." A. Caso, *Sociología.*

8. Justo Sierra, *Evolución Política del Pueblo Mexicano*, Libro Segundo, VII.

9. "En esta forma concebimos la dirección de los estudios filosóficos. La Filosofía es la explicación de la existencia." Antonio Caso, *La Existencia como Economía, como Desinterés y como Caridad*, México, 1943, p. 22.

10. J. Sierra, *ib.*

11. "La *'esencia' del 'ser ahí' está en su existencia*. . . Todo 'ser tal' de este ente es primariamente 'ser'. De donde que el término 'ser ahí', con que designamos este ente, no exprese su 'qué es', como mesa, casa, árbol, sino el 'ser'. . . El 'ser ahí' no puede tomarse nunca ontológicamente, por ende, como caso y ejemplar de un género de entes. . . La mención del 'ser ahí' tiene que ajustarse al carácter del 'ser, en cada caso, mío', que es peculiar de este ente, mentando o sobreentendiendo a la vez siempre el pronombre *personal*: 'yo soy', 'tú eres'." M. Heidegger, *El Ser y el Tiempo*, traducción española, México, 1951, p. 50. Pero el "ser, en cada caso, mío" es peculiar de cada "ser ahí" –en general. La individuación de la mención por la "significación ocasional" del pronombre es válida para cada 'ser ahí' –en general. Sin esta generalidad, ni quién se enterase de que el ente designado con el término "ser ahí" es cada uno de nosotros, los hombres –lo que quizá no muestra simplemente que necesitemos de lo genérico para *entendernos*, sino que esta necesidad se deba a la de lo genérico para *ser-nos*. Y, en fin, ni Heidegger puede eludir la paradoja de tener que hablar repetidamente de la "esencia" del ser ahí para ponerla en su existencia; que no la elude, antes más bien la subraya, con la reserva que suele intercalar, "hasta donde puede hablarse de ella", y que más justamente fuera "porque no puede dejar de hablarse de ella".

12. O en el doble sentido, subjetivo y objetivo, del "de": semejante filosofía acerca de un individuo sólo podría hacerla este mismo.

13. La escolástica contrapesa las tesis registradas en la nota final al parágrafo anterior con las de que los predicables tienen *fundamentum in re*; la especie no deja de ser la esencia de los individuos; y el concepto universal que exhibe lo que se considera esencial aquí y ahora le basta al conocimiento humano.

14. En el curso que dió en El Colegio de México entre julio y agosto del corriente año de 1952.

15. De los variados alcances de este género de problemas pueden servir como ejemplo muy pertinente aquí los problemas que suscita la conferencia de Jorge Portilla, "La crisis de la conciencia norteamericana", publicada en *Cuadernos Americanos*, México, 1952, 4. Uno de subido interés general en la actualidad sería el de discernir con la mayor finura, en las críticas hechas a los Estados Unidos, entre las que éstos *merecerían* por *no ser* plenamente fieles a los ideales del mundo moderno de que se proclaman campeones y las que *no merecerían* por ser realización, en ciertos aspectos máxima hasta ahora, de ese mismo mundo. De no discernir así, se corre el peligro de dar armas, o por lo menos gusto, a los enemigos del mundo moderno por amor a mundos anteriores, pero no a los amigos del mundo moderno, o a sus enemigos por amor de mundos futuros.

16. Sin excluir a un Bergson o a un Nikolai Hartmann, "Filósofos de la problematicidad", pero en definitiva sistemáticos y dogmáticos.

17. En rigor bastaría decir "existimos", pues al existir es esencial el ir, el movimiento itinerario.

18. Cf. supra ∫ 20, en la primera parte de este trabajo, pp. 68-69.

19. Mostrar fenomenológicamente que la comprensión teórica del ser es un simple modo de existir derivado de, o fundado en, esa "comprensión" que cada uno de nosotros posee de su ser o existir mismo en cuanto que tiene como que "prenderlo" y "empujarle hacia adelante", es intención fundamental, según ya es

bien sabido, de *El Ser y el Tiempo.* Los tropos del tacto están ya en esta obra. Cf. en ella especialmente 69, b, sobre la relación entre teoría y práctica.

20. Heidegger, "Ueber den *Humanismus*", en *Platons Lehre von der Wahrheit*, Berna, 1947, p. 87.

21. En términos de Heidegger, "caída", e "impropiedad".

22. En griego clásico hay sólo *práxis* y *apraxía*, pero también sólo *logos* y *alogía.*

23. O de nuevo en términos de Heidegger, "existenciario" en cuanto "existencial", que es la esencia misma del existencialismo.

24. Y por lo mismo cómo no sea posible preguntar directamente por la existencia de un ente (∫25).

25. Hay también un cultivo de la Historia por ella misma que es el historicismo incurso en el esteticismo y "dañoso para la vida".

26. ". . .y me tendré siempre por el más obligado a aquellos con cuyo favor goce sin impedimento de mi ocio que no a aquellos que me ofrecieren los más honrosos empleos de la tierra". Palabras finales del *Discurso del Método.* De las que no dejan de ser un antecedente lejano, pero no menos paradigmático, las de Sócrates en la *Apología*: "es necesario que el que lucha en realidad por la justicia, si quiere salvarse por un poco de tiempo, actúe en privado, pero no en público". Ni son los únicos, ni mucho menos, grandes filósofos que hayan dejado ejemplos de renuncias salvaguardadoras de su libertad.

27. Heidegger muestra en *Holzwege*, pp. 77 ss., las más profundas raíces filosófico-históricas de semejante evolución.

Capítulo 4

ORIGENES Y ESPIRITU

33. *Historia mínima de la filosofía del mexicano*

Entre los problemas que plantea la actual actividad enderezada a elaborar una filosofía del mexicano son los verdaderamente radicales los planteados por los motivos que le han dado radicalmente origen en la historia. Estos motivos los pone al descubierto como nada la historia misma.

La actividad acabada de mentar la inició el "Grupo Filosófico Hiperión" y sosteniéndola vienen capitalmente algunos de los miembros fundadores del mismo, que han logrado suscitar en torno todo un movimiento de cooperación convergente o paralela, de crítica y discusión, de divulgación, por medio de la palabra oral y escrita en cursos y conferencias, cátedras y seminarios, periódicos y revistas, y última y señaladamente la colección "México y lo mexicano"; y en que participan con ellos maestros, condiscípulos y discípulos, cultivadores de la ciencia, de la literatura y del arte, periodistas y aficionados.

Los fundadores del "Grupo Filosófico Hiperión" fueron Ricardo Guerra, Joaquín Macgregor, Jorge Portilla, Salvador Reyes Nevárez, Emilio Uranga, Fausto Vega, Luis Villoro y Leopoldo Zea. La aparición en público del grupo tuvo lugar en un ciclo de conferencias sobre el *Existencialismo Francés* dadas en la primavera de 1948 en el Instituto Francés de América Latina.[1] En otoño del mismo año participaron algunos de los miembros del grupo en otra serie de conferencias, dadas en la Facultad de Filosofía y Letras de la Universidad Nacional bajo el título de *Problemas de la Filosofía contemporánea.*[2] En otoño del año siguiente, nueva serie, ya sobre el tema general *¿Qué es el mexicano?* , en la misma Facultad.[3] En los cursos de invierno de 1951 de la misma Facultad, sobre el tema general *El mexicano y su cultura*, el Hiperión se presentó resueltamente en una cátedra máxima como el protagonista colectivo del movimiento, tan amplio ya como mostraron aquellos cursos. Todo esto lo confirmaron los cursos de invierno de 1952 una vez más en la misma Facultad, sobre el tema general *El mexicano y sus posibilidades*. Desde la serie de conferencias del otoño de 48 se destacó públicamente como líder o jefe del Hiperión, Zea. Este funda desde principios del corriente año de 52 el Centro de Estudios sobre el Mexicano, con el Hiperión como núcleo y en torno a él un grupo de historiadores, sociólogos, economistas, psicólogos y otros científicos. Este centro ha iniciado una serie de mesas redondas sobre problemas concretos de México. El mismo Zea funda a mediados del mismo año y desde entonces dirige esta colección, "México y lo mexicano": pública señal de reconocérsele lo que le debe el movimiento entero.[4]

Pero al Hiperión, a su vez, lo han estimulado factores concomitantes y antecedentes cuyo favor ha sabido, ciertamente, aprovechar.

El propio Hiperión se ha referido abundantemente a los antecedentes de la mentada actividad. No podía menos de ser. Una filosofía del mexicano no podía menos de mirar a la circunstancia mexicana, ni de ver en ella sus propios antecedentes. A la filosofía de la circunstancia le es esencial el historicismo. Tal es la esencial conexión entre la actividad enderezada a elaborar una Historia de las Ideas en México y la enderezada a elaborar una filosofía del mexicano.[5]

El antecedente más cercano al par en el espacio y en el tiempo y por la materia, y por ambas razones más importante, y como tal reconocido por el propio Hiperión, es el diseño del perfil del hombre y la cultura en México hecho por Samuel Ramos en su libro de este título.[6] Pero el mismo Ramos ha reconocido expresa y repetidamente a su vez un decisivo antecedente en la filosofía de la "salvación de las circunstancias" españolas planeada por Ortega y Gasset en el prólogo a las *Meditaciones del Quijote.*[7]

A estimular una orientación como la tomada por el Hiperión vino la tomada por la filosofía de nuestros días hacia la de la cultura, la vida, el hombre y la existencia, hacia el historicismo, la Antropología Filosófica y el existencialismo, y hacia la *Zeitkritik*. Esta orientación tiene un natural término en la filosofía de sí misma, aludida ya en pasaje anterior.[8] El Hiperión ha expuesto cómo pensó tener en el existencialismo el instrumento de que había menester para la obra que proyectaba.[9]

Pero la orientación así estimulada tiene antecedentes más amplios en el espacio y más lejanos en el tiempo que los apuntados, y estos antecedentes más amplios y lejanos son los que ponen al descubierto los motivos que han dado a la actual actividad enderezada a elaborar una filosofía del mexicano su origen radical en la historia.

Encabalgando aún sobre esta actividad, como procedente de los días inmediatamente anteriores a los de iniciación de ella, se cruzó de un cabo a otro de América una discusión sobre la filosofía americana.[10]

La repetida actividad resulta así la concreción mexicana de un afán de filosofía propia general al mundo hispánico –puesto que también la filosofía de la salvación de las circunstancias españolas había surgido de un afán de filosofía española. Pero este mismo afán general al mundo hispánico se revela como una singular manifestación de un movimiento mucho más amplio y hondo aún por su meta y por su índole de tradición secular ya. Se tiene afán de una filosofía propia porque se conceptúa la filosofía de suma creación expresiva de toda cultura cabal y plena y se quiere que tal llegue a ser la cultura propia. Se trata, pues, del tema de México, del tema de América, del tema de España, en el fondo último, en la raíz. Por eso los ya registrados antecedentes de la tan repetida actividad tienen a su vez otros: en México mismo, el tema de México y de América en la obra de Alfonso Reyes, de Vasconcelos, de Caso,[11] remontándose hasta el Ateneo de la Juventud;[12] y el tema de Cuba en Cuba, y el del Perú en el Perú, y el de Argentina en la Argentina, y el de América en todos los países hispanoamericanos, de Martí y Rodó a Bello y Bolívar, y el de España en Ganivet, en Larra, en Feijoo. . . para nombrar sólo algunos sobresalientes hitos hacia los orígenes del múltiple tema: el tema de sí mismo, que es el tema entrañable del pensamiento del orbe hispánico desde que tal lo hizo la decadencia de España.[13] Aunque hay entre el tema de España para los pensadores españoles y un tema como el de México para los pensadores mexicanos una diferencia fundamental, que no sólo es justo consignar, sino de sumo interés teórico y práctico. El tema de España es para los pensadores españoles el tema de una decadencia que hay que remediar, para muchos el tema de una grandeza que hay que restaurar, más que el de un nuevo progreso que ir logrando. El tema de México es para los pensadores mexicanos el tema de independizarse de aquella decadencia no propia, para entrar sin obstáculos extraños por el camino de una grandeza que se promete, cuanto más nueva, tanto más segura. Por debajo de toda la autocrítica negativa es el temple profundo de la marcha de México el confiado de aquel a quien, no habiendo caído aún de suyo, sólo le es posible levantarse más, mientras que por debajo de las más animadoras autoexaltaciones es el temple profundo de la marcha de España el desconfiado de quien, por haber caído ya de suyo, sabe que caer le es posible. Ahora bien, no es lo mismo un temple que otro para marchar con pie resuelto, veloz, jubiloso y triunfante.[14]

En todo ello es el pensamiento efecto y causa parciales del resto de la historia. Entre las distintas filosofías entre las que podían elegir para servirse de ellas no habrían elegido la existencialista, y "especialmente en su expresión francesa",[15] ni se habrían servido de ella como se han servido los hiperiones; ni habría tomado la forma del movimiento en torno a la filosofía del mexicano que ha tomado el tema de México; ni sería el que es el interés público por él si no hubiese venido hasta el punto y hora hasta que ha venido la conciencia y la *voluntad de sí* de México, como vena parcial del total curso de la evolución histórica de éste, enraizada última, irreduciblemente, en la espontaneidad de una personalidad nacional en confección y perfeccionamiento. Repárese en la significación que para la filosofía de los hiperiones tiene, según sus propias y repetidas exégesis, la Revolución.[16]

La misma Historia anterior ha bastado para poner al descubierto los dos motivos de cuya conjunción es oriunda radicalmente en la historia la actividad enderezada a elaborar una filosofía del mexicano: un afán de filosofía mexicana que implica un afán de filosofía por un afán de mexicanidad: un motivo filosófico y otro nacionalista y patriótico; pero el primero por mor del segundo, que así se evidencia de los dos como el más decisivo, por más radical, por irreducible y último.

34. *Filosofía o Ciencia*

Los problemas de una circunstancia como la mexicana actual bien pudieran ser científicos y no filosóficos –pero de filosofía se tiene afán. . .

"Mito" es buen nombre para lo que en la historia de la cultura humana precedió a la Filosofía. Y de esta última es concepción quizá no injusta: tratamiento de los objetos del mito con los métodos de la ciencia, por ejemplo máximo, teo-logía. Lo que relativamente al mito habría en la Filosofía de nuevo propiamente sería la ciencia. La Filosofía bien pudiera ser, pues, un híbrido de mito y ciencia, tan natural en la transición del mito a la ciencia como naturalmente destinado a servir de vehículo a esta transición y, ésta consumada, a desaparecer –los híbridos son tan utiles como infecundos– dejando a la ciencia dueña del campo –que el mito no retenga para sí siempre: porque en la ley de los tres estados parece mucho menos segura la absorción del mito por la ciencia que la reabsorción parcial de la

Filosofía por el mito y la absorción parcial de la misma por la ciencia. La Filosofía ha sido en su forma clásica, plena, sistema metafísico —añadir "del universo" es en el fondo pleonasmo. Pero desde Hegel ha perdido, en resumen, ambos caracteres, a pesar de todas las "restauraciones" de que desde aquél se ha hablado, entre ellas la de nuestros días, porque al no ser ninguna completa, no ha sido restauración. . . En nuestros días no se ha producido, es decir, dado a luz pública si es que se alumbró privadamente, en definitiva un solo nuevo sistema metafísico cabal, esto es, con todas las partes o el detalle todo requerido por la forma clásica,[17] con lo que no se ha detenido precisamente la marcha de la Filosofía, desde Kant, en la dirección de la Filosofía exclusivamente de la Cultura en general y de los distintos sectores de ésta en especial: Filosofía de la Ciencia, de la Religión, de la Sociedad, etc. Y la distinción entre estas disciplinas y las correspondientes científicas, Crítica de la Ciencia por o en la ciencia misma, Ciencia de la Religión, Sociología, etc., no parece ser sino de grado o *ya no de esencia*. . . Todo lo cual bien pudiera, en fin, significar que de una función de la cultura como la relación con el más allá pudiera ser órgano parcialmente sustitutivo del órgano del mito la Filosofía, y de esta función, función parcialmente sustitutiva la ciencia; o, en general, que la historia consistiese muy centralmente en una evolución de los órganos ejecutivos de determinadas funciones de las culturas sucesivamente simultáneas a lo largo de ella, de la historia, y de estas funciones mismas, evolución en la que unos órganos o funciones serían sustituidos parcial o incluso totalmente por otros. Mas si así fuese, la conceptuación tradicional de la Filosofía como suma creación expresiva de toda cultura cabal y plena, conceptuación obra fundamentalmente del amor propio de la Filosofía misma, sería tan natural como justa sólo para una edad histórica —pero ¡he aquí un problema bien filosófico y bien fundamental para los afanosos de una filosofía mexicana, y bien entrañado en su propio afán! [18]

Pero aunque lo resolvieran en el sentido de no tener que preocuparse más por la Filosofía que por la ciencia, ni ocuparse más en aquélla que en ésta, quizá no tuvieran mucha razón para sentirse frustrados. Es un *hecho histórico* la vocación de los pueblos hispánicos para las disciplinas humanas y su carencia de vocación para las exactas y científico-naturales —y para la Filosofía. Quizá esta última carencia se deba a la coyunda de la Filosofía con las disciplinas exactas y científico-naturales en los siglos XVII y XVIII. Pero desde el pasado la Filosofía, sin divorciarse de estas últimas disciplinas, ha entrado con las humanas en maridaje preferente, fecundo —y prometedor para la vocación de los pueblos hispánicos. Pero quizá la carencia de vocación de estos pueblos para la Filosofía se deba a motivos mucho más profundos: a una vocación exclusivamente religiosa para lo trascendente y exclusivamente humanista dentro de lo inmanente, de tal suerte que "Fe y Humanidades" fuera la cifra de la cultura propia de unos hombres que ni habrían cura de hacer ciencia pura sobre aquello en que creen, ni serían capaces de curarse de las cosas simplemente naturales como procuran por las propiamente humanas. Si así fuese, la meta señalada a sus afanes intelectuales por la historia de su cultura en el seno de la historia de la cultura universal serían las cienicas humanas. Y quizá a este sentido responda lo que hay al par de más logrado y más auténtico, aunque no se sea bien consciente de ello, en el movimiento todo en torno a la filosofía del mexicano: lo que no quiere insinuar que lo que en él haya de más filosófico, al parecer, sea lo de menos valor; sino que en realidad o en el fondo quizá sea menos filosófico, y más científico o literario, de lo que parece.

Mas como no hay historia pasada que impida a la futura la novedad, o simplemente que impida la futura, por el hecho histórico subrayado en el aparte anterior, no cabe desechar por anticipado y para siempre la posibilidad de que los pueblos hispanoamericanos, históricamente tan nuevos, tengan la vocación, incluso para las disciplinas exactas y científico-naturales, que Alfonso Reyes predice a su pueblo mexicano en esta observación digna de la mayor consideración –que debiera concluir en práctica: ". . esa aptitud de discreción que, en la poesía, la crítica ha llamado el 'tono crepuscular'. . . y que yo. . . llamé la tendencia a la mesura y a la rotundez clásicas. . . me parecen. . . las normas –más que eso–, las formas en que está vaciada el alma mexicana. . . esta reserva, este freno, esta desconfianza, esta necesidad constante de la duda y la comprobación, hacen de los mexicanos algo como unos discípulos espontáneos del *Discurso del Método*, unos cartesianos nativos; y los disponen, para cuando llegue el día del bienestar, del acierto político y el consecuente despliegue de las facultades hoy inhibidas, a ser un pueblo científico por excelencia. Lo cual no quiere decir que se pierdan, por eso, otras virtudes interiores y superiores de inspiración, recogimiento y hondura metafísica".[19]

35. *Actividad intelectual o acción política*

Entre los problemas de una circunstancia como la mexicana actual se plantean los políticos en primer término para la mayoría: es una consecuencia de la democracia, de la dependencia de la política respecto de la economía y de la difusión del conocimiento de esta dependencia, de la importancia fundamental de la economía para la generalidad. Por fuerza de estas "circunstancias" está el planteamiento y resolución de problemas de una como la mexicana actual destinado a ser en primer término planteamiento y resolución de problemas políticos. Más el interesarse por el planteamiento y resolución de problemas políticos implica un interés por lo político que por la índole misma de este su objeto mueve, a pesar de la especulación de la realidad o teoría, a la acción transformadora de la realidad, a la práctica, a la política *stricto sensu*. Al practicismo recomendado a la filosofía del mexicano ha de parecerle la mejor manera de asegurar la realización práctica de las soluciones teóricas no ya pasar de la investigación científica de los problemas a la difusión del conocimiento de las soluciones y al mover a la realización de éstas por los medios señalados en parágrafo anterior, todo ello dentro aún de lo que puede considerarse como actividad intelectual en un sentido propio, sino pasar de esta actividad a la acción política propiamente tal, a la profesión política, para ser por sí ejecutor de la realización de las soluciones, en la medida del poder político que se alcance.

Mas ya la sola investigación científica pura es actividad demasiado exigente de dedicación intensa y duradera, para ser compatible, ni simultáneamente ni siquiera en sucesión, con otra que no lo es precisamente menos, la acción política. Por esto simplemente, ya se impone la división del trabajo, la especialización de ambas actividades. Pero, además, estas actividades parecen requerir aptitudes intelectuales y rasgos de carácter divergentes hasta el extremo de excluirse mutuamente, como el complacerse en la vida en la abstracción, en los sentidos especificados en parágrafo anterior, y el no poder sufrir una vida que no tenga lugar en la comunicación de la pública.

Por otra parte, el político no es esencial, auténticamente tal, si no ambiciona la posesión ejecutiva del poder con exclusión de los coparticipantes que la harían nugatoria. El político, pues, no suele estar indispuesto a recibir del intelectual las soluciones que él mismo no está capacitado para investigar —pero a condición de no encontrarse en el intelectual con un competidor en la adquisición y conservación del poder: porque si con tal se encuentra en el intelectual, una elemental asociación de ideas y transferencia de sentimientos le mueve a combatir con la misma energía al competidor y sus ideas, cualesquiera que éstas sean. Por esta vía resulta, pues, el paso de la actividad intelectual en sentido propio a la acción política propiamente tal una manera no tanto de asegurar la realización de las soluciones cuanto de sumirlas en las incertidumbres de la lucha por el poder.

En suma, que la índole misma del objeto de los problemas que se plantean en primer término a la orientación propuesta a la filosofía del mexicano, entraña para ésta una inminencia de frustración, por la doble vía del abandono de la actividad intelectual pura en que no puede menos de consistir esencial, fundamentalmente, y de la exposición de las soluciones de los problemas a la repulsa de los más capacitados para realizarlas acabadamente. Parece obligado, pues, para todo interesado en el logro de semejante filosofía, ya por una auténtica vocación hacia ella, ya por una justa comprensión de su utilidad nacional y humana, esforzarse en eliminar por anticipado su frustración, por la única vía que responde a lo acabado de decir: asegurar la actividad intelectual pura, promoviendo vocaciones hacia ella y fomentando la fidelidad a ella.

Nada de lo anterior implica que el intelectual no cumpla con los deberes del ciudadano de la democracia. Todo lo contrario. Implica que cumpla con deberes políticos no sólo como ciudadano en general, sino incluso como intelectual en especial –pero como intelectual en especial, no como político profesional: plantéandose y resolviendo los problemas políticos de la circunstancia nacional –en que se insertan los de la internacional–, y moviendo a la realización de las soluciones en la forma señalada en parágrafo anterior, pero absteniéndose de pasar de esta actividad intelectual en sentido propio a la acción política propiamente tal. Es menester que se llegue a ver con la mayor claridad posible por el mayor número posible que la misión y los deberes políticos del intelectual en cuanto tal quedan cumplidos y *sólo quedan cumplidos* con aplicar su actividad *intelectual* al planteamiento y resolución de los problemas *políticos*. Su "compromiso" con la sociedad, con la Humanidad, no es otro –pero éste no es precisamente menos comprometedor que el de ningún otro hombre, como basta a probarlo el martirologio de los intelectuales, sin duda muy superior al de los santos, pero quizá no al de los políticos propiamente políticos y propiamente mártires, y no por cierto poco aumentado precisamente en nuestros días.

Nada de lo anterior implica siquiera que la auténtica vocación intelectual excluya de sí toda ambición de poder. Quizá incluye en sí esencialmente una: la del poder por medio de las ideas. Pero incluiría ésta exclusivamente. Quien no se contenta con el poder puramente por medio de las ideas no sería un auténtico intelectual, y si cree serlo, sería víctima de uno de los "ídolos del conocimiento de sí mismo".

Pero lo anterior sí implica cierta oposición al tipo del "pensador" hombre de acción, político, característico de los pueblos hispánicos. No en el sentido de negar su grandeza –justo mientras ha sido una necesidad social de estos pueblos en determinadas etapas de su historia; sí en el sentido de pensar sonada la hora de una etapa en que el paulatino reemplazo del tipo del "pensador", político *stricto sensu* y científico por devoción personal, por el tipo del científico profesional e institucional, político intelectualmente, es la nueva y ya urgente necesidad social.

Nada de lo anterior implica tampoco una menos-valoración de la profesión política correlativa de una supervaloración de la intelectual. La política es la actividad de que depende más directamente el bienestar básico de un mínimo de felicidad en la vida de la inmensa mayoría: una buena política puede pretender que se la valore como la más alta de las actividades humanas –sin demasía injuriosa para la divina, de la que, antes bien, sería la instrumental y ejecutora. Pero en su rango subordinado es la profesión intelectual indispensable –indispensable incluso al poder político de las naciones, fundado dentro de la cultura moderna en medida creciente sobre los resultados de la actividad intelectual más pura y propiamente tal, la investigación científica. De lo que los poderes públicos han sacado la conclusión de que a sus directivas deben someter la investigación, a riesgo de acabar con ella como justa sanción, en vez de comedirse a aprovechar los resultados que la investigación sólo puede lograr siguiendo libremente sus propias y peculiares directivas.

El paso de la actividad intelectual a la acción política no puede, pues, justificarse con el motivo nacional de la filosofía del mexicano, con el amor a la patria, que puede ser invocado por el afán de poder político.

Si, en fin, se hiciera, con intento de objeción, la advertencia de que lo dicho en este parágrafo no sería en el fondo sino una variante más, pero nada nueva, de la "europeización" o la "modernización", se replicaría que el intento tampoco sería en el fondo sino una manifestación más de una reacción contra la "modernidad" que justificada en parte, en parte se ha pasado de raya –como es perentorio ya ver y decir para que se vea. Pero la discusión no cabría aquí.

36. *Nacionalismo o patriotismo*

Los autores mexicanos de la filosofía del mexicano no pueden menos de pensar acerca del mexicano y de la filosofía de éste en general, pero particularmente de su propia filosofía del mexicano, en función, no sólo de sus ideas, sino de sus sentimientos y motivos todos más o menos conscientes, ni sólo de filósofos, sino de mexicanos, relativamente a otras nacionalidades, o grupos de ellas, y a sus filosofías. Estas nacionalidades o grupos de ellas, y las ideas, sentimientos y motivos de los mexicanos relativamente a ellas, están determinados por la historia internacional de México.

Así, el mexicano parece estar pasando de una relación con el europeo occidental no español determinada por el considerarse en primer término como hombre del mundo hispánico y el sentimiento de inferioridad de este hombre relativamente a aquel europeo, a una relación con éste determinada por el considerarse en primer término como americano y el sentimiento de superioridad que éste empieza a tener, o a manifestar patente y resueltamente, respecto del repetido europeo –lo que equivale a tenerlo respecto de todos los demás hombres. El paso no está dado del todo, por no estar dado en todos los sectores de la cultura; al menos no lo está en el que aquí interesa especialmente, el de la Filosofía: hasta los filósofos del mexicano, con todo su reconocimiento de sus antecedentes mexicanos, muestran y sin duda tienen en el fondo, más fe que en los filósofos mexicanos de las generaciones anteriores, en los filósofos europeos de nuestros días; han tomado sus maestros más entre éstos que entre aquéllos, lo que significa en definitiva que no han superado aún del todo el complejo de inferioridad cultural, motivado principalmente por "razones" políticas, que trajo a la negación de la existencia de una filosofía mexicana.

En la anterior relación del mexicano como americano con el europeo está contenida parte de la relación del mexicano con el norteamericano: la parte consistente en la relación de ambos como americanos con el europeo; pero esta parte nada más, pues la relación del mexicano con el norteamericano consiste sobre todo en la que tienen puramente entre sí. Esta parece haber sido, desde hace por lo menos un siglo hasta hoy, una relación dominada por el reconocimiento de la superioridad política, en el sentido más comprensivo, del norteamericano y la convicción de la superioridad del mexicano en la cultura espiritual, para decirlo con un solo término. Esta relación representa una notable excepción a la generalizada sumisión de las valoraciones culturales a las políticas, en aquel sentido; pero una excepción quizá en peligro de dejar de serlo: la elevación de los Estados Unidos a rango de protagonistas de Occidente amenaza con imponer una nueva valoración de su cultura espiritual, en especial de su filosofía, incluso a los filósofos mexicanos.

La relación del mexicano con el resto de los americanos, reducible a la relación con los demás hispanoamericanos, plantea el problema de la especificidad de lo mexicano relativamente a la de los demás hispanoamericanos, o de la especificidad de cada uno de los hispanoamericanos, dentro de la genérica hispanoamericanidad. La solución quizá no sea la misma en los distintos sectores de la cultura: en el de la Filosofía ¿hasta qué punto cabría hablar de filosofías mexicana, argentina, peruana, cubana. . . como diferentes por sendos caracteres nacionales? –En todo caso, la relación del mexicano con los demás hispanoamericanos parece poder compendiarse en alguna fórmula como ésta: desde luego no inferioridad de México a ningún otro país hispanoamericano; quizá, superioridad, con Argentina, al resto. . .

La relación del mexicano con los demás hispanoamericanos no parece totalmente emancipada aún de la relación de los hispanoamericanos todos con el español: a pesar de las diferencias existentes en este punto entre hispanizantes e indigenistas, en conjunto los hispanoamericanos se consideran, y crecientemente, diferenciados del español; desde luego, mucho más indudablemente que entre sí; y no simplemente por americanos, sino incluso como hispanoamericanos.

En ciertos casos, se señalan relaciones especiales con otros hombres, como con los de ciertos pueblos asiáticos, por ejemplo, el indostánico. En todo caso, el mexicano se considera en una relación con los demás hombres, sin excepción, tal cual la implicada en la concepción de la Revolución Mexicana como una revolución singularmente *sui generis* a la vez que de una significación universal.

Las relaciones acabadas de apuntar pueden completarse y detallarse, matizarse, en suma, perfeccionarse considerablemente –y deben: pues entrañan actitudes y "complejos" que determinan reacciones determinantes, a su vez, de las ideas, y todo ello, actitudes, complejos, reacciones, ideas, susceptible de errores que plantean el problema de la rectificación de los mismos. Actitudes y complejos como los de inferioridad y superioridad. Reacciones como las de aceptación de la inferioridad, de resignación a ella, de resentimiento por ella, o de compensación por medio de una ficción de superioridad, o de superioridad despectiva, si no agresiva, para la correlativa inferioridad. . . Semejantes complejos y reacciones son decisivos para la crítica que se hace de lo propio y lo extraño, motivando injustas desvaloraciones o sobrevaloraciones tanto de lo propio cuanto de lo extraño, como las tan repetidamente mentadas, en que se someten los criterios culturales a los políticos. De todo ello es, sin duda, la conciencia más cabal posible requisito para, por ejemplo, superar un complejo de inferioridad más efectivamente que tan sólo mediante un fatuo complejo de superioridad.

En este orden de cosas parece el error más temible, por ser al par aquel a que se está más expuesto y el de peores consecuencias, el del nacionalismo en el mal sentido que ha venido a tomar este término, de una defectuosa y funesta actitud de espíritu ante la propia nación en relación con las demás. Esta actitud debe sustituirse por una más correcta y fértil, a la designación de la cual sería bueno apropiar el término de patriotismo, que desde siempre hasta hoy ha significado una relación digna de estimación positiva con la patria. La oposición entre los conceptos de nacionalismo y patriotismo así acuñados podría referirse a un par de oposiciones cardinales. A una concepción *naturalista* de la nación como la concepción racista, que de suyo excluye de la comunidad fundada en la biológica de una sangre a cuantos no tienen puramente esta última, encerrándose en el más estrecho *nacionalismo*, hay que oponer una concepción *culturalista* de la "patria", de suyo llamada a poder serlo, a llegar a serlo, de cuantos comulguen en su mismo espíritu internacionalista, o mejor, universalista o cosmopolita, o mejor aún, *humanista*. La concepción naturalista y nacionalista no puede entender el natural y legítimo afán de personalidad nacional, incluso inmortal, en las glorias de la historia, o el natural y legítimo amor a la propia personalidad nacional, más que en el sentido del mero "individualismo" que corresponde a un gregarismo cuasi zoológico, incapaz de nada más amplio y alto que el patriotismo normalmente acompañado de la xenofobia. Como la concepción culturalista y humanista no puede entender el mismo afán o el mismo amor sino en el sentido de un verdadero "personalismo", patriotismo y humanismo, que encuentra el más alto rasgo distintivo de la personalidad nacional en prestar a la patria los más eminentes servicios a la Humanidad –a la manera del espíritu que viene animando y dirigiendo la política internacional de México que ha valido a éste, con justicia histórica tan ejemplarmente estimulante, el reconocimiento de que goza actualmente entre los Estados. Las nuevas generaciones intelectuales mexicanas deben perseverar en la fidelidad a aquel espíritu de las inmediatamente anteriores que incorpora, por ejemplo que es realmente un dechado, el mito de "la raza cósmica".

Importa, pues, al par superlativa y radicalmente el espíritu con que filosofen sobre el mexicano, esto es, en último término, sobre sí mismos, los filósofos mexicanos. De la importancia de este su espíritu mana para ellos el imperativo ético de plantearse el problema del mismo y de resolverlo mediante el adecuado examen de conciencia nacionalista o patriótica. Dentro de la línea del practicismo inherente a la resolución de auténticos problemas de la existencia cae lo que la solución de un problema como el acabado de indicar puede tener de catártica.

37. *Mexicanidad y extranjería*

Este volumen, sobre la filosofía del mexicano, de autor no mexicano de nacimiento ni de oriundez, plantea, en fin, este problema: ¿hasta qué punto puede tratar de la filosofía del mexicano –aunque sea sólo dentro de un moverse "en torno" a la filosofía mexicana– y no se diga filosofar directamente sobre lo mexicano y el mexicano, quien no es mexicano de nacimiento ni de oriundez?

Este problema lo plantea este volumen porque, de una parte, quien no es mexicano de nacimiento ni de oriundez no podría ser auténticamente mexicano por ninguna otra vía, y, de otra parte, ya lo mexicano, sobre todo el mexicano, no podría ser "comprendido" por el extranjero como sería menester para poder filosofar sobre tales objetos cabalmente.

Esto último sería así de tener razón la filosofía que hace depender el conocer del ser a tal punto que para poder conocer algo sería menester serlo en algún sentido, o la filosofía que llega a identificar el conocer y el ser como viene haciéndolo en nuestros días el existencialismo, cuya esencia es precisamente esta identificación. En el último fondo se piensa, en contra de la tradición más clásica, que el conocimiento, lejos de estar vinculado a la ob-jetividad, que dice lejanía –del objeto al sujeto–, no ser –el sujeto el objeto–, está vinculado a la subjetividad –del objeto–, a la cercanía –del objeto al sujeto–, al ser –el sujeto el objeto. O bien, que el conocimiento sólo lo es cuando lo es en el sentido del bíblico "conocer" mujer, paradigma de "conocimiento" por fusión de sujeto y objeto, o mejor, entre sujetos, O bien, que el conocimiento fundaría sobre la sim-patía, la efectiva identificación, el amor entre dos seres que, al hacer de éstos uno, sería él mismo amor propio, amor al propio ser, del propio ser.

En cuanto a la reducción de la nacionalidad auténtica al nacimiento y la oriundez, se debe, como es sabido, a las conocidas ideas acerca de la distinción entre comunidad y sociedad y las formas de pertenencia a la una y a la otra: en la medida en que la nación es comunidad fundada en vínculos tradicionales e irracionales, sólo es posible formar plenamente parte de ella naciendo y formándose en el seno de ella o en el de una porción desgajada de ella, como una familia; no es posible llegar a formar plenamente parte de ella por voluntarias resoluciones contractuales como las que determinan por parte de un individuo y de un Estado la nacionalización o naturalización; el extranjero puede hacerse nacional en el ámbito de lo jurídico, pero no lo podría hasta la intimidad del carácter, de la sensibilidad, del espíritu nacional. Los dos grupos de ideas, las relativas a las relaciones entre el conocer y el ser y las dependientes de la distinción entre comunidad y sociedad, son unas en el fondo: de lo que se es, se ama y se conoce de veras sería parte lo que se tiene de común con los demás miembros de la comunidad, pero no los vínculos con los demás miembros de una sociedad, a la que se pertenecería por obra de una voluntad ilustrada por un conocimiento puramente objetivo.

Los hechos históricos parecen, empero, limitar, por lo menos, el alcance de las ideas anteriores, así de las relativas a las relaciones entre el conocer y el ser como de las dependientes de la distinción entre comunidad y sociedad. Los extranjeros, ya como simples viajeros, lo que implica "de paso", pero sobre todo como residentes, haya sido, a su vez, como metecos o como adquirentes de la ciudadanía de su residencia, han comprendido al extranjero, en casos suficientemente numerosos e importantes para tener peso, al extranjero en forma cuya verdad y penetración ha sorpendido a éste y no podido menos de ser reconocida por el extranjero mismo. Entre estos casos destaca la línea verdaderamente ilustre de los metecos que puede hacerse partir de Aristóteles en Atenas, un filósofo oriundo de una colonia griega fronteriza del mundo de los bárbaros, pero de cuya filosofía, y especial y bien significativamente de cuya ética, puede sostenerse con buenas razones que son una expresión del espíritu, no sólo griego en general, sino específicamente ático, mucho más fiel o auténtica que la de su maestro, el aristocráticamente ateniense Platón, tan "oriental" en tantas y tan importantes cosas. Y podría hacerse seguir inmediatamente a Teofrasto,[20] si la brevedad no recomendase saltar a un "metequismo" mayor que el de griegos dentro del mundo helénico: al de griegos en Roma, desde un Polibio, que comprende primero que nadie como nadie el destino imperial de Roma, hasta un Plotino, otro filósofo. Hasta –para venir, movidos de la misma recomendación, a lo más cercano en el espacio y en el tiempo– los jesuítas mexicanos, e hispánicos todos, desterrados en el XVIII a Italia, cuya lengua se apropian y creaciones más características –arquitectura, arte en general– llegan a conocer según testimonian todavía algunas de sus obras;[21] hasta –saliendo de la línea, por un impulso que quedará explicado por lo que seguirá– el caso general que comprende el personal del autor de este volumen: el del español en la América a la que aún se apellida con su nombre; hasta América toda, tierra de inmigrados. . .

Este es el lugar de insertar la breve consideración obligada en correspondencia a la hecha en el parágrafo anterior acerca de las relaciones del mexicano con otras nacionalidades: acerca de la relación del español con la nacionalidad mexicana. Fue la del metropolitano que provocaba el resentimiento del criollo y es la de los entusiastas del Imperio Azul, pero también es la del "gachupín" y la del "refugiado". "Refugiado" es quien va a decir, en elogio del "gachupín", que éste vino en muchos casos a América "porque aquí no había que servir al rey" ni que pagar las contribuciones que en Europa, y volvió en muchos casos a España convencido de la superioridad de las instituciones políticas y de la igualdad de oportunidades y consideraciones sociales de la libre América, para ser en su lugar nativo fautor del progreso de su patria en el sentido de la democracia y del liberalismo. En cuanto al "refugiado" mismo, el que escribe esto quizá no haya hecho más que dar expresión a lo pensado o sentido menos articuladamente, en el doble sentido verbal y lógico, cuando ha escrito o dicho cómo México le ha hecho llegar a ver España y a sentir las dos patrias más bien como una *doble* patria *una:* España, como el país *hispanoamericano* que queda por independizarse del común pasado imperial, en un proceso de desprendimiento, no geográfico o espacial de colonias respecto de la metrópoli, sino temporal e histórico de hermandad de pueblos nuevos respecto de las viejas colonias y metrópoli;[22] como un pueblo en formación por fusión de otros en tierras americanas tras de haberlo estado en ibéricas;[23] con todo lo cual no se le hace cuestión tanto hasta qué punto pueda un español mexicanizarse, cuanto dónde hallaría el límite a su comunión con México, en el que ni lo indígena puro puede considerar definitivamente extraño, sintiendo que lo más lejano enriquece más que lo más cercano su hispanidad.

Pero la verdad es que los anteriores hechos, más bien que imponer la rectificación sin más de las ideas dependientes de la distinción entre comunidad y sociedad y relativas a las relaciones entre el conocer y el ser, encuentran la conjunta explicación que responde a su propia unidad en un ensanchamiento y ahondamiento de estas ideas orientado por el ideal de la superación del predominio de lo natural, biológico, irracional e involuntario, por el predominio –predominio, no exclusividad– de lo cultural, racional, voluntario y en este sentido activo o práctico.

Las naciones son comunidades: sin dejar de serlo nunca del todo, debieran ser crecientemente sociedades. La unión que en cuanto obra de la pura naturaleza se presenta como mero azar fatal –no hay contradicción– y ciego, debe ser ratificada por la reiterada decisión de la voluntad que asiente libre a los dictados no forzosos de la razón: tal el sentido del "plebiscito diario" mentado en la definición famosa. La patria nativa de cada cual debiera llegar a ser para él lo que la segunda patria para aquellos que llegan a tenerla o por libre elección de una patria ideal y mejor que la nativa, o por estimación del destino como ventura: tanto, por lo menos, cuanto la segunda patria de la libre elección o del destino venturoso puede llegar a ser una segunda naturaleza.[24] Y lo que puede conducir ambos movimientos, de direcciones contrarias, a punto de coincidencia, es una "concepción" de la patria que funda en las justas relaciones entre el conocimiento, el amor y el ser y, por ende, puede exponerse de la mejor manera mediante una comparación del amor a la patria con el amor a la mujer, amor arquetípico de todo amor para el hombre: desde las relaciones sexuales entre los seres infrahumanos, que entiende como modo deficiente del amor arquetípico para él, hasta el amor de Dios a sí mismo, que concibe por vía de eminencia del mismo amor arquetípico.

Se habla de la "madre patria". Si con razón, no con menos puede hablarse de la "esposa patria", la "amante patria", la "hija patria". Con la madre *se encuentra* el hijo en *comunidad*, como tal, "de naturaleza". Con la esposa *entra* el hombre en *sociedad*, por obra de libre elección. Pero la índole de sociedad es mayor aún en la relación en que entra un hombre con una amante, pues mientras que la sociedad con la esposa pasa, precisamente con el mismo desposarla, de la libre elección a la debida obligación sacramental o contractual, la sociedad con la amante no pierde su libertad por estas obligaciones. Con la hija no se encuentra el padre en comunidad sino habiendo entrado en sociedad con la madre: la relación del padre con la hija es, pues, una peculiar relación mixta de comunidad fundada en sociedad, y en sociedad prolongada en cierto modo por la educación: el padre *hace* a la hija en sentido natural, y por medio de la educación siempre en parte, parte que puede ser muy grande cuando el padre se aplica a educarla. Pues bien, con la "madre patria" se encuentra el hombre en comunidad de naturaleza. Pero el hombre que elige libremente o estima como destino venturoso una patria ideal ¿no entra con ella como en sociedad conyugal o de amor libre, que autorizaría a hablar de "esposa patria" y "amante patria"? Si no, es tan sólo porque todo hombre entra con su patria, nativa o segunda, en una relación equiparable más justamente a la del padre con la hija y que fuerza a hablar de "hija patria": hija en alguna parte es la patria nativa o la segunda patria de todo aquel que en alguna parte la hace con su trabajo. La verdadera patria de quien sea no es tanto aquella de donde viene como de un pasado hecho, cuanto aquella adonde va como a un futuro que hacer: tal el sentido inmarcesible del trillado "hacer patria". Como el verdadero patriota no es el hijo de su patria, o el hombre en lo que ésta le ha hecho, sino el padre de su patria, o el hombre en lo que hace por la patria: pues todo aquel de quien una patria es en alguna parte hija, es en la misma parte padre de la patria, ni son más que la especificación eminente de esta relación los "padres de la patria". En ser las americanas, patrias, más que de tradición –con tenerla–, de confección y perfección; más que de grandeza pasada –con tenerla–, de futuro grandioso, radica la rapidez y verdad de la americanización de los inmigrantes en ellas.

Por obra de la anterior concepción de la patria no ha podido quien acaba de exponerla sentirse en ningún momento "expatriado" *de* España en México, sino que no ha podido dejar de sentirse en todo momento más bien "empatriado" de España *en* México.

1. Uranga, "Maurice Merleau-Ponty: Fenomenología y existencialismo"; Portilla, "*La Náusea* y el humanismo", Macgregor, "¿Hay una moral existencialista?"; Villoro, "La reflexión sobre el ser en Gabriel Marcel"; Guerra, "Jean Paul Sartre, filósofo de la libertad" (recogidas en *Filosofía y Letras*, número 30).

2. Uranga, "Dos teorías de la muerte: Sartre y Heidegger"; Macgregor, "Las emociones según Jean Paul Sartre"; Vega, "El existencialismo en el arte"; Zea, "La filosofía como compromiso"; Villoro, "Comunidad y existencia" (recogidas algunas en *Filosofía y Letras*, número 36).

3. Uranga, "Discreción y señorío en el mexicano" (cf. vol. 4 de "México y lo mexicano", pp. 58 ss.); Agustín Yáñez, "Decentes y pelados"; Villoro, "La doble faz del indio" (*Cuadernos Americanos*, núm. 1 de 1952, pp. 36 ss.); Reyes Nevares, "Las dos Américas: móviles y motivos"; Zea, "Responsabilidad del mexicano" (cf. op. cit. en la nota siguiente, pp. 172 ss.); Guerra, "México: imagen y realidad"; Portilla, "Comunidad: grandeza y miseria del mexicano"; Vega, "El mexicano en la novela"; Samuel Ramos, "Ideas en torno del alma mexicana".

4. Las principales aportaciones del Hiperión a la filosofía del mexicano, y otras dignas de especial mención, se encuentran en las publicaciones siguientes: L. Zea, *La filosofía como compromiso y otros ensayos*, 1952; E. Uranga, "Ensayo de una ontología del mexicano", en *Cuadernos Americanos*, número 2 de 1949; el mismo, "Optimismo y pesimismo del mexicano", en *Historia Mexicana*, número 3; L. Villoro, *Los grandes momentos del indigenismo en México*, 1950; O. Paz, *El laberinto de la soledad*, 1950; J. E. Iturriaga, *La estructura social y cultural de México*, 1951, pp. 225 ss., "El carácter del mexicano"; *Filosofía y Letras*, números ya citados y 40 y 41-2; *Cuadernos Americanos*, número 3 de 1951; y esta colección, "México y lo mexicano". Datos para la Historia del Hiperión y del movimiento, con los antecedentes a que se refiere en seguida el texto, se hallan especialmente en el citado libro de Zea, pp. 144 ss., en el número 36 de *Filosofía y Letras*, p. 233 (artículo de Villoro), en el volumen 2 de "México y lo mexicano" (de Zea), pp. 56 ss., y el volumen 4 (de Uranga) en la misma colección, pp. 45 ss. Para una Historia más completa habría que tomar en cuenta las series de los suplementos de los diarios *El Nacional, Novedades* y *El Universal* y algunos números de las revistas *Hoy* y *Mañana*, desde 1950 inclusive.

5. Y entre las dos partes del presente trabajo.

6. 1a. edición, 1934; 2a., 1938; 3a., 1951, en la "Colección Austral", lo que significa la consagración como clásico.

7. "En esta frase de Ortega: 'Yo soy yo y mi circunstancia y si no la salvo a ella no me salvo yo' veía el que esto escribe una norma que aplicar a México, cuya realidad y cuyos problemas eran completamente desconocidos para la filosofía. La meditación filosófica podía muy bien servir a la definición de la circunstancia mexicana, a la determinación de lo que es o puede ser su cultura, tomando en cuenta las modalidades propias de nuestra cultura y la forma en que éstas han

modelado la fisonomía peculiar del hombre mexicano. Con estos propósitos el autor publicó en 1934 un libro titulado *El Perfil del Hombre y la Cultura en México*, en el que se intentaba por primera vez explorar filosóficamente el pasado histórico de México a fin de explicar y aclarar los rasgos específicos de su vida presente que pudieran constituir una especie de caracterología del mexicano y su cultura. El autor consideraba indispensable esta investigación previa, para fundar sobre datos positivos los ideales de la futura vida mexicana. En aquel libro terminaba afirmando que la obra más urgente de la cultura mexicana era la plena realización del hombre, la cabal integración de su personalidad como mexicano." S. Ramos, *Historia de la Filosofía en México*, 1943, p. 153.

8. En el conjunto de esta filosofía de nuestros días resulta la mentada filosofía de Ortega un avance, no sólo cronológico sobre las posteriores, sino filosófico sobre todas aquellas, no sólo anteriores, sino también posteriores, que, mientras que en la mentada de Ortega se señalaban como objeto las circunstancias españolas más concretas, tienen por objeto el abstracto de la cultura, la vida, el hombre, incluso la "existencia *individual*" en general: pero entre estas filosofías figura la de Ortega mismo desde que pasó del plan de "salvaciones" de las circunstancias españolas al del "espectador" de toda clase de espectáculos y a la filosofía de la razón vital y de la razón histórica en general. Un paso semejante es el de Ramos desde el diseño del perfil del hombre y la cultura en México hacia el "nuevo humanismo" en general. Y semejantes también son las razones de ambos pasos: juzgar necesario especular toda clase de espectáculos con que hacer dar "innumerables reverberaciones" a las circunstancias españolas para salvarlas, articular un nuevo humanismo con que salvar las mexicanas. Pero la referencia final de esta articulación y aquella especulación a las respectivas circunstancias no las concreta tanto cuan concretas son estas últimas.

9. Cf. Zea, volumen citado, pp. 82 s., que cita texto de Uranga (de la conferencia sobre Merleau-Ponty) y de Villoro (del artículo en el número 36 de *Filosofía y Letras*). El autor del presente trabajo no quiere disimular la satisfacción que le produce pensar haber contribuido algo al movimiento de que viene hablando con tres cosas, debidas a su vez a la influencia de las obras y del magisterio personal también de Ortega: haber valorado la obra de Ramos como no parece que lo hubiera hecho nadie hasta entonces (cf. *Pensamiento de Lengua Española*, 1945, pp. 169 ss., "El Perfil del Hombre y la Cultura en México", artículo de 1939); haber orientado el trabajo personal de algunos jóvenes hacia lo nacional (cf. L. Zea, *El Positivismo en México*, 1943, pp. 9 ss., "Prefacio"); haber trabajado él mismo por el conocimiento del pensamiento de lengua española y de la filosofía de la vida, el historicismo y el existencialismo y en la crítica de nuestro tiempo (cf. *Filosofía y Letras*, número 38, pp. 339 ss., artículo de R. Moreno; y los textos de Zea, Villoro y Uranga en que se hallan datos para la Historia del Hiperión y del movimiento citados en nota anterior).

10. Alcanzó su culminación, por la mutua presencia física de muchos, y de los más autorizados, de los participantes en ella, y por la naturaleza y el rango de la reunión, en el Tercer Congreso Interamericano de Filosofía, tenido en la ciudad de México en enero de 1950, y del cual fué uno de los tres grandes temas: cf. el número 38 de *Filosofía y Letras*, y como antecedentes más a mano: L. Zea, *Ensayos sobre Filosofía en la Historia*, 1948, pp. 163 ss., "Sobre la Filosofía en América"; el mismo, *En torno a una Filosofía Americana*, 1945; J. Gaos, op. cit., pp. 355 ss., "Cuarto a Espadas. ¿Filosofía Americana?" (artículo de enero de 1942, que empieza: "A lo largo del año que acaba de morir se ha debatido

en estos países americanos de lengua española el tema de la creación de una filosofía peculiar de ellos.").

11. De la que no dan idea cabal ni siquiera volúmenes como *La X en la frente*, de Reyes, o *México, Apuntaciones de Cultura Patria*, de Caso, porque la preocupación por México, en el centro de una preocupación por la América española, y por España, por lo hispánico en general, en función de lo humano y universal, se manifiesta, a lo largo de la monumental obra de los tres maestros, en las más variadas formas: desde el amplio tratamiento expreso de un gran tema hasta simples frases incidentales en que la preocupación salta en medio de los contextos aparentemente más alejados de ella y extraños a ella, señal inequívoca de andar con ella arraigada en el corazón único que envía el pulso a la mano redactora de las más varias lecciones. Cf. J. Gaos, "México, tema y responsabilidad", en *Cuadernos Americanos*, número 5 de 1952, pp. 102 ss., sobre el tema de México en la obra de Reyes, y en particular como antecedente de la del Hiperión; J. Hernández Luna, "La imagen de América en José Vasconcelos", en *Filosofía y Letras*, número 31, pp. 101 ss.; L. Zea, "Antonio Caso y la mexicanidad", en *Homenaje a Antonio Caso*, 1947, pp. 93 ss., y en *La filosofía como compromiso*, pp. 124 ss.

12. Del que son una manifestación del hispano-americanismo en general, en pleno jubileo de la mexicanidad, la "serie de conferencias cuyo objeto fuera estudiar la personalidad y la obra de pensadores y literatos hispano-americanos" que "organizó, para celebrar el primer centenario de la independencia de México". *Conferencias del Ateneo de la Juventud*, México, 1910, p. 7. Quizá ya no sea superfluo recordar que versaron sobre Hostos la de Caso, Othón la de Reyes, Rodó la de Pedro Henríquez Ureña, el *Pensador Mexicano* la de González Peña, Sor Juana la de Escofet y Barreda la de Vasconcelos.

13. Cf. J. Gaos, *Antología del Pensamiento de Lengua Española en la Edad Contemporánea*, 1945, "Introducción".

14. La única manera de cambiar de temple que parece posible para los pensadores españoles es la de concebir España como se apuntó en la nota 27 de la página 39 de la primera parte del presente trabajo.

15. Zea, volumen citado, p. 82.

16. Cf. Zea y Uranga, volúmenes citados, pp. 24 ss. y 76 ss., respectivamente.

17. El que comprende más partes, y con todo el detalle requerido, el de Nikolai Hartmann, ha renunciado precisa y expresamente a la Metafísica más propiamente tal, que no es la Ontología, sino la Teología; de menos importancia es que sea obra de filósofo que ha rechazado el sistema, para atenerse exclusivamente a los problemas: porque la verdad es que en esto ha sido infiel a sí mismo –como Bergson. Husserl puso la trascendencia divina entre unos paréntesis de los que no se sabe que llegara a sacarla. A la segunda mitad de *El Ser y el Tiempo* ya se sabe, en cambio, lo que le pasa; y *nonnata* la Ontología de Heidegger, el propio existencialismo se ha quedado en Ontica del existente. Sartre es declarado ateo. Y los que se han declarado lo contrario, el Bergson de *Las dos fuentes*;. Marcel, Lavelle, Scheler, Jaspers, Whitehead, ¿han producido algo en que concurran como en los clásicos sistemas, metafísica, novedad, integridad y detalle?

18. Sobre la Filosofía de la Filosofía insinuada en el texto, que equivaldría a un "neopositivismo" si no fuera que *no piensa posible la Aufhebung del mito por la ciencia*, no ha tenido aún el autor del presente trabajo ocasión de explicarse públicamente por escrito sino apenas menos sumariamente que aquí en "lo mexicano en filosofía", en *Filosofía y Letras*, número 40, pp. 219 ss., especialmente 225 y ss.

19. A. Reyes, *La X en la frente*, volumen 1 de "México y lo mexicano", pp. 78 s.

20. Cf. Alfonso Reyes, "Un ateniense cualquiera", en *La Crítica en la Edad Ateniense*, 1941, pp. 347 ss. o "Un ateniense del siglo iv a.c.", en *Junta de Sombras*, 1949, pp. 248 ss.

21. El meteco no lleva una mera vida vicaria sino cuando tiene más vocación de político que de trabajador intelectual o manual.

22. V. El Pensamiento Hispanoamericano, número 12 de *Jornadas* de El Colegio de México, pp. 28 s.

23. V. la nota 27 de la página 42 de la primera parte del presente trabajo. Si llega a verse mejor la patria nativa desde el extranjero, no es por efecto de la distancia, como se piensa y dice vulgarmente, sino por efecto del enriquecimiento "en extranjero".

24. Un caso precisamente de filósofo, y de primer orden, sumamente ilustrativo en el sentido de estas relaciones es el de Spinoza, nacido y criado en el seno de una familia judeo-española, hasta el punto de no haber conocido otra lengua que la española antes de la juventud y no haber llegado nunca a dominar plenamente el holandés, y sin embargo tan creadoramente participante en la vida de la libre Holanda y la cultura de los países modernos de Occidente.

Apéndices

ETAPAS DEL PENSAMIENTO EN HISPANOAMERICA

Carta abierta a Leopoldo Zea

Querido Leopoldo: No sería justo que dejara de dedicar a su último libro[1] una de las notas que vengo hace años escribiendo en esta revista sobre las publicaciones referentes a la historia de las ideas en los países de nuestra lengua, por la simple posibilidad de que la relación que me une a usted me impidiera la "objetividad". Pues también hay la posibilidad de que, aceptando lo anterior hasta el punto de dar a la nota la forma, más "subjetiva", de una carta abierta a usted, lo que voy a decirle persuada de la importancia o el interés de su libro.

Debo empezar por reconocer el buen número de cosas que he aprendido de él, y que me figuro van asimismo a aprender la mayoría de sus lectores, aunque sólo sea por efecto de la acción conjugada de estos dos factores: el desconocimiento en que los moradores de cada uno de los países de nuestra lengua todavía estamos de tanta parte de la producción cultural de los demás; y el conocimiento de esta producción que le facilitó a usted el viaje a media docena de dichos países para el que le comisionaron la Fundación Rockefeller y El Colegio de México, editor de la obra que fue motivo y ha sido resultado del viaje. Doy por seguro que es posible disponer de los libros de los principales pensadores de los países hispanoamericanos en cualquiera de éstos, pero por poco seguro que se puedan obtener en otro país que el de origen publicaciones –no hay que hablar de inéditos– como las que usted hubo de manejar para poder informar según lo hace de sucesos tales cual, para poner un solo ejemplo, la "gran contienda" entre espiritualistas y positivistas en el Ateneo de Uruguay durante la penúltima década del siglo pasado. Ahora bien, sucesos como éste, aun admitiendo que fuesen "secundarios" en la historia del pensamiento en nuestros países, serían *indispensables* en la Historia de este pensamiento. Más de una vez ya se ha señalado la deficiencia que representa el tradicional reducir la Historia de la filosofía universal a la exposición de los filosofemas y de las puras relaciones entre éstos: con sólo los filosofemas y las puras relaciones entre ellos no sólo no se integra una Historia de la filosofía, sino que ni siquiera se integra Historia alguna propiamente tal; porque si no hay Historia posible sin "selección", tampoco la hay cuando la selección se practica exclusivamente sobre una parte de la realidad histórica ––en el caso de la filosófica, los filosofemas y las puras relaciones entre ellos– y no sobre la totalidad de dicha realidad en el mismo caso, toda la materia histórica en torno a los filosofemas y las puras relaciones entre ellos, la cual abraza, con las vidas y personalidades de los filósofos, la totalidad de las relaciones de la filosofía con los demás sectores de la cultura, especialmente la enseñanza de la filosofía, la difusión toda de ésta, el papel desempeñado, en suma, por ella en la sociedad. Pues bien, mayor deficiencia aún representaría el reducir a la exposición de las ideas de los pensadores y de las puras relaciones entre ellas y las de sus "fuentes" la Historia del pensamiento en nuestros países, donde los "pensadores" se destacan justamente por lo que significaron y siguen significando en y para la vida toda de sus pueblos, de los que han sido y siguen siendo grandes, en los más de los casos máximos "padres y maestros"; o donde el "pensamiento" es mucho más inseparable de la difusión y discusión de ideas en la prensa, en lugares que no son los más propiamente académicos, en el seno de pequeños grupos muchas veces más privados que públicos. . . Tanto es así, que la verdad es también que en las obras existentes de Historia de las ideas en nuestros países es más bien lo sólito la presencia de toda esa materia histórica –pero en este punto es su libro de usted ejemplar.

Semejante material hace en todo caso subir la dificultad, no sólo de la selección sin la que no hay Historia posible, sino también, y más aún, de la "composición", sin la cual habrá material para la Historia, pero no hay Historia plena. Pero si se añade que semejante material procede, en el caso de su libro de usted, de más de media docena de países, donde a pesar de todos los paralelismos y convergencias que usted señala, ha habido también las divergencias que se impusieron a usted, la dificultad de composición sube de todo punto. Por eso es distintivo de este su libro, aunque ciertamente no sin un notable antecedente en los suyos anteriores sobre el positivismo en México, el dominio a que ha llegado en la composición, incluyendo su rico material en cuadros a la vez tan ordenados y dinámicos, que permiten apresar el vasto y diversificado proceso histórico que es su tema como una marcha dotada de un sentido unitario, que es decir también de una significación instructiva.

Este sentido y esta significación serían lo más valioso de su libro, si no lo fuera lo que diré más adelante. Dibuja su libro, en suma, una acabada y plástica imagen de los países hispanoamericanos en el trance sin duda más decisivo de su pasado histórico: aquel en que habiendo conquistado la independencia política, se encuentran urgidos a "constituirse", en una acepción del término mucho más amplia y grave que la estricta acepción política, porque comprende la latitud toda de su vida nacional e internacional. Ahora bien, la imagen que su libro dibuja de los países en este trance es la encerrada en este henchido y tenso perfil: el de un esfuerzo por deshacerse del pasado para rehacerse según un presente extraño –y estas palabras bastan para que se alce toda una bandada de cuestiones y reflexiones por espacio cuyo horizonte no es sólo el del pasado historiado por usted, sino también, y *fundamentalmente*, el del actual presente e inmediato futuro del pensamiento en nuestros países.

Deshacerse del pasado es lo que entraña la "emancipación mental" pugnando en conjunto por la cual presenta usted a los pensadores hispanoamericanos de la etapa romántica, y a la zaga de ellos a los de la etapa positivista, sea como preparación para conquistar la emancipación política, en el caso excepcional de los cubanos, sea para la emancipación conquistada en el mero dominio de lo político, en el caso de los demás. Rehacerse según un presente extraño es aquello por lo que patentemente pugnan ya los románticos que, viendo una oposición de "medievo y modernidad en la cultura americana", optan por la modernidad, tomen o no a "Norteamérica como modelo", y pugnan luego y más los que ven en el positivismo el instrumento necesario y suficiente para instaurar el "nuevo orden" en que debe encarnar la emancipación total, política y mental o mental y política. Este rehacerse según un presente "extraño", a pesar de dos reparos que se ocurren. Uno lo representaría lo que puede llamarse el espontáneo movimiento de Hispanoamerica hacia el positivismo, desde antes de todo conocimiento del positivismo europeo, movimiento, si no sentido exclusivamente por Lastarria, pintado por él más vivamente que por nadie, en los pasajes de sus *Recuerdos literarios*, reproducidos por usted en las páginas 172 y siguientes de su libro. El otro reparo lo representaría la invocación, reiterada ya por los románticos y todavía por los positivistas, de la necesidad de atenerse a la "realidad hispanoamericana", de buscar concreta, expresamente, una "solución hispanoamericana", para no fracasar por utopismo, como por él habrían fracasado los esfuerzos de constitución a raíz de la independencia. En cuanto al primer reparo, parece claro que, aun desechando la posibilidad de que en una visión retrospectiva como la de Lastarria se inyecten desde los que fueron simples resultados del proceso estos resultados en el proceso mismo desde sus comienzos, el espontáneo movimiento absorbió una buena dosis de ideas que no pudo dejar de considerar como venidas de fuera. Y en cuanto al segundo reparo, fué precisamente el atenerse a la realidad hispanoamericana lo que movió a considerar a países u hombres extraños *en cuanto tales* como modelos preferibles o inmigrantes deseables, o una filosofía extraña, pero positiva, realista, como el instrumento propio del realismo del positivismo hispanoamericano.

En todo caso, el esfuerzo por deshacerse del pasado y rehacerse según un presente extraño no se acreditó precisamente de ser un esfuerzo menos utópico que ningún otro. Porque si el rehacerse según un presente extraño no parece imposible –sobre todo, dado que el resultado es rehacerse en realidad según la modificación que el presente propio, con el pasado entrañado por él, impone al presente extraño–, en cambio, el deshacerse del pasado parece absolutamente imposible. ¿No será *fundamentalmente* por esto por lo que la actitud de los pensadores hispanoamericanos ha venido cambiando desde el fin, por tanto, de la etapa positivista, quizá lentamente al principio, velozmente en estos últimos años, de toda forma iniciando una nueva etapa del pensamiento en Hispanoamérica, aquella a la que pertenece este mismo libro de usted?

Si éste ha podido encuadrar como lo hace su material, es porque lo ve desde la altura de una nueva filosofía de la historia de Hispanoamérica que se adelanta muy explícitamente en la "Introducción" y que es una prueba excelente del cambio y la etapa mentados en la interrogación final del aparte anterior. En vez de deshacerse del pasado, practicar con él una *Aufhebung* –palabra empleada por usted mismo en conyuntura de este sentido, en la acepción de Hegel– cuyo nombre es la primera palabra del texto de la "Introducción"; y en vez de rehacerse según un presente extraño, rehacerse según el pasado y presente más propios con vistas al más propio futuro. ¿No es ésta la que ya se puede llamar la filosofía toda de usted y de sus compañeros de generación, y de las generaciones aún más recientes, especialmente de los jóvenes que son sus colaboradores de usted en la iniciada tarea de un filosofar sobre el mexicano que acabe dando una filosofía mexicana?

El sentido unitario y la significación instructiva del proceso histórico que es tema de su libro serían lo más valioso de éste, si no lo fuera lo que los hace posibles, la nueva filosofía a que acabo de aludir. Este su libro de usted quedaría prendido, inestablemente, de su "Introducción", si usted suficientemente preparado y maduro ya para ello, no procediese a desarrollar la interpretación filosófico-histórica adelantada en ella, a llevar por su parte a plenitud la nueva filosofía iniciada.

Por todo lo que con esto acabo de decirle, creo, querido Leopoldo, que este libro confirmará definitivamente la consideración, en que ya se le tiene a usted internacionalmente, de ser uno de los maestros en materia de historia de las ideas en nuestros países, mientras espero que se le llegue a tener por uno de los maestros de la filosofía en estos países y por lo mismo sin limitaciones de lugar ni tiempo, pues cuanto más auténticas expresiones de una circunstancia las creaciones de la cultura, tanto más significativas para las demás circunstancias o universales. Creo lo uno y espero lo otro con toda la complacencia natural en un ya antiguo y siempre amigo como usted sabe que lo es suyo

José Gaos [2]

1. *Dos etapas del pensamiento en Hispanoamérica. Del romanticismo al positivismo.* México, 1949.
2. Noviembre, 1949, *Cuadernos Americanos*. 1950. 1.

MEXICO, TEMA Y RESPONSABILIDAD

(Alfonso Reyes, Leopoldo Zea, Samuel Ramos)

Un nuevo volumen de Alfonso Reyes: *La x en la frente (algunas páginas sobre México)*. El enigmático título no resulta muy aclarado por sólo el lema puesto al volumen: "¡Oh *x* mía, minúscula en ti misma, pero inmensa en las direcciones cardinales que apuntas: tú fuiste un crucero del destino! A.R., *Simpatías y diferencias*, 2a ed., México, II, p. 58." Pero a quien recuerde el contexto citado o acuda a él, se le aclarará el enigma. Se trata de la explicación dada por Valle-Inclán de su primera venida a México y del comentario que la explicación sugiere a Reyes: "– ¡Y decidí irme a México, porque México se escribe con *x*! ¿De suerte, querido maestro Unamuno, que esa *x* de México, en que usted veía hace algunos años el signo de la pedantería americana, tuvo la virtud de atraer a Valle-Inclán y hacerlo poeta?" Y sigue la exclamación reproducida en el lema. En suma, la *x* del nombre *México*, símbolo de cuanto cifra este nombre.

Las páginas reunidas en el volumen son las de siete trabajos publicados de 1924 a 1946 y algunas de trabajos publicados de 1922 a 1944 y de uno inédito. El más extenso de los trabajos reproducidos, *A vuelta de correo*, polémica con el "llorado Héctor Pérez Martínez", pedía singularmente la reproducción: siendo, a pesar de ser muy ocasional, muy importante, se había publicado sólo en limitada edición privada de 1932. Su importancia es doble: la que se desprenderá de lo que se dirá de su contenido un poco más adelante; y la de ser un modelo de polémica, según compendia con evidencia el desenlace. "Poco después de haber escrito y publicado *A vuelta de correo*. . .

volvía a México. En el andén me esperaba un joven de grave y dulce continente, a quien yo no había conocido hasta entonces por mi larga residencia en tierras extrañas. Me abrió los brazos sencillamente, y me dijo: –Soy su amigo Héctor Pérez Martínez que viene a darle la bienvenida– . . .esta controversia. . . me valió para siempre la amistad de Héctor, y a ambos nos hizo tanto bien. . ." (Nota antepuesta a la reproducción, p. 41 s. del volumen referido). Claro que para que una polémica tenga tal ejemplaridad basta que los polemistas sean intelectual y moralmente tan ejemplares como los del caso. . .

Las páginas reunidas en el volumen no son todas las de Alfonso Reyes sobre México –ni con mucho. El mismo ha creído indicado recordarlo, como muestra la nota que figura al verso de la hoja en que campea el lema. "Esta breve selección, para ajustarse al criterio y a las dimensiones señaladas por los editores, prescinde de numerosas páginas consagradas al tema de México en la mayoría de mis libros (por ejemplo *Norte y Sur*, México, 1944), y desde luego, prescinde de algunas obras especiales, como *Visión de Anáhuac, El servicio diplomático mexicano, Pasado inmediato, Letras de la Nueva España, La constelación Americana*, etc." Y sin duda ha creído indicado recordarlo, por responder con una delicada indirecta a los más recientes contumaces en la acusación de extranjerismo olvidado de la patria o indiferente a ella, hecha a Reyes ya de antiguo y entre otros por el Pérez Martínez que originó la mentada polémica, aunque no por el Pérez Martínez "cuyo segundo artículo. . . rectificación espontánea provocada por una charla con Guillermo Jiménez –es prenda de su nobleza". (*Op. cit.* p. 41.) Ya en *A vuelta de correo*, o sea hace veinte años, podía decir de sí Reyes: "Pronto hará veinte años que salí del país, y de entonces acá mis vacaciones en México se habrán reducido a un total de ocho meses. . . En todo este tiempo, he publicado muchos libros de prosa y unos pocos de versos. Quien tuviera la paciencia de examinarlos, fácilmente se convencería de que no hay uno solo en que no aparezca el recuerdo, la preocupación o la discusión directa del tema mexicano." (*Op. cit.*, p. 43.) Esto, por lo que se refiere a su obra en general; que por lo que se refería al sólo *Monterrey*, la revista personal de Reyes que, criticada por Pérez Martínez, fue el tema inicial de la polémica, puede Reyes acumular: ". . .aun cuando se haya tratado del sitio de nuestra literatura en el cuadro de Hispanoamérica, de nuestra sensibilidad en parangón con la nórdica, de nuestro teatro tradicional, del teatro de indios y el de títeres, de Ruiz de Alarcón y Sor Juana, del proceso de la mente literaria de México durante la revolución, de Gutiérrez Nájera, Othón, Nervo, de González Martínez, del pintor Rousseau y México, del pensamiento hispanoamericano ante el mundo y los cambios de su actitud, de Saint-Simon y México, del testimonio de los viajeros sobre nuestra vida y costumbres, de Miguel González –pintor de asuntos mexicanos en el siglo XVI, hasta hoy no estudiado–, de algunos documentos de nuestra iconografía literaria, de Cortés y Moctezuma, de Acuña, del Padre Mier, de la depuración de nuestras tradiciones y la formación de una biblioteca mínima. . . éstas y otras cosas más enumeradas en desorden y como me van saltando a los ojos, hubiera encontrado Pérez Martínez en *Monterrey*, si se hubiera dado el trabajo de verlo por encima." (*Op. cit.* p. 49.) ¡Se comprende que el noble Pérez Martínez rectificara! ¡Y qué no hay que añadir a lo anterior, procedente de los otros veinte años transcurridos desde la publicación de *A vuelta de correo*! A pesar de todo lo cual, se comprende también perfectamente la existencia de los contumaces en la acusación: por la misma causa que la primera crítica de *Monterrey* por Pérez Martínez; por desconocimiento de la obra de Reyes– pura y simplemente, pues a la única maledicencia de cuenta, la inteligente, no la dejaría esta su condición incurrir en la necedad de negar lo conocido como real, aunque no le impida el desliz de no enterarse de lo que es real o no, antes de ponerse a negarlo.

Por eso, los rezagados contumaces, en realidad, además, pocos y de menor cuantía, no bastan, ni de lejos, a invalidar la afirmación de que la cuestión *ya no es* la de aquel extranjerismo o lo contrario, sino que *es ya exclusivamente* la del *sentido y alcance del tema México* –parcial o total, directo o indirecto, patente o latente– *en la obra de Alfonso Reyes*. En espera –de cierto ya no larga– del trabajo o la serie de trabajos –que tal puede requerirse– que desarrollen cabalmente el tema, debe considerarse la publicación de este último volumen de Reyes al par como una prueba de lo acabado de decir acerca de aquello en que consiste actualmente la cuestión, y como una anticipación de algo de lo principal que no podrá menos de decir el desarrollo cabal de la cuestión tal cual queda formulada en las palabras recién subrayadas.

Si en el trabajo reproducido en primer lugar, "Psicología dialectal", se encuentra una breve, pero ejemplar muestra de lo que ahora se llama "fenomenología de lo mexicano", en el desentrañar el complejo y peculiar sentido de la expresión mexicana "¡ahora que me acuerdo!", las "Reflexiones sobre el mexicano", penúltimo de los trabajos reproducidos, ensanchan la misma fenomenología hasta términos máximos de su objeto, aunque los de la exposición no lleguen a duplicar la brevedad de aquella primera muestra –¡logros del arte literario! Reflexiona Reyes que mientras no mejore la condición de la elemental vida material de la mayoría del pueblo mexicano, no puede desarrollar éste virtudes en el doble sentido de virtualidades y de excelencias–

ahora en él sólo latentes, pero no tanto que no quepa "sospechar", por "una gama intermedia de indicios" "entre las características manifiestas y las virtudes latentes", "algunos desarrollos futuros de nuestro pueblo, cuando se lo ponga en situación de crear en el bienestar". Algunos tan dignos de repetición aquí, por lo que se dirá al final de esta nota, como los concentrados en las siguientes líneas: ". . . esa aptitud de discreción que, en la poesía, la crítica ha llamado el 'tono crepuscular'. . . y que yo. . . llamé la tendencia a la mesura y a la rotundez clásicas. . . me parecen. . . las normas –más que eso–, las formas en que está vaciada el alma mexicana. . . esta reserva, este freno, esta desconfianza, esta necesidad constante de la duda y la comprobación, hacen de los mexicanos algo como unos discípulos espontáneos del *Discurso del Método*, unos cartesianos nativos; y los disponen, para cuando llegue el día del bienestar, del acierto político, y el consecuente despliegue de las facultades hoy inhibidas, a ser un pueblo científico por excelencia. Lo cual no quiere decir que se pierdan, por eso, otras virtudes interiores y superiores de inspiración, recogimiento y hondura metafísica." (*Op. cit.*, p. 78 s.)

Pero si hasta tales términos de su objeto se ensancha en las "Reflexiones sobre el mexicano" la fenomenología de éste, el repetido *A vuelta de correo* se había adelantado a elevar, y ahondar, la cuestión más alta, y más radical, que plantea una fenomenología semejante: la de sus relaciones con la humana universalidad. Y la cuestión es tan importante, en sí y en el contexto entero del asunto de esta nota, y la posición de Alfonso Reyes en la cuestión tan digna de atención y eventual y eficaz asentimiento, que resulta indispensable reproducir las palabras mismas del escritor para resumirla en sus cinco facetas esenciales, ellas mismas matizadas.

(I) "La única manera de ser provechosamente nacional consiste en ser generosamente universal, pues nunca la parte se entendió sin el todo. Claro es que el conocimiento, la educación, tiene que comenzar por la parte; por eso 'universal' nunca se confunde con 'descastado'." (*Op. cit.*, p. 57.)

(II) ". . .tampoco hay que figurarse que sólo es mexicano lo folklórico, lo costumbrista o lo pintoresco. Todo esto es muy agradable y tiene derecho a vivir, pero ni es todo lo mexicano, ni es siquiera lo esencialmente mexicano." (*Op. cit.*, p. 60.)

(III) ". . .las únicas leyes deben ser la seriedad del trabajo, la sinceridad frente a sí mismo. . . y –digan lo que quieran las modas– una secreta, pudorosa, incesante preocupación del bien, en lo público y en lo privado." (*Op. cit.*, p. 65.)

"En suma: deje cada uno vivir al otro y, por su parte, procure hacer bien lo que tiene entre manos." (*Op. cit.*, p. 68)

(IV) "Nada más equivocado que escribir en vista de una idea preconcebida sobre lo que sea el espíritu nacional. En el peor de los casos, esta idea preconcebida es una convención o resultante casual de ideas perezosas que andan como perro sin dueño. Y en el mejor caso —es decir: cuando la tal idea es resultado de una sincera y seria investigación personal— será. . . absurdo el someter a ella una obra por hacer, una obra en que no sólo van a trabajar la razón y la inteligencia, y ni siquiera la conciencia sola, sino también el inmenso fondo inconsciente. . ." (*Op. cit.*, p. 61). Estas palabras las pone Reyes en boca de otra persona, pero las hace suyas.

"La realidad de lo nacional reside en una intimidad psicológica, involuntaria e indefinible por lo pronto, porque está en vías de clarificación. No hay que interrumpir esta química secreta. Calma y tiempo son menester. Es algo que estamos fabricando entre todos. Nunca puede uno sospechar dónde late el pulso mexicano." (p. 60)

"Interrogados los años, nos dirán que lo nacional se abre paso a pesar nuestro, y es una de aquellas cuestiones sobre las cuales no conviene torturarse mucho ni embarazarse de proyectos, porque por aquí no se va a ninguna parte. Estos procesos casi biológicos, si intervienen en ellos un exceso de conciencia y análisis, hay riesgo de que se atrofien o se inhiban. Cierta seguridad, cierta confianza de buen gusto son, aquí como en amor, las garantías del éxito." (*Op. cit.*, p. 58)

"Lo que yo haga pertenece a mi tierra en el mismo grado en que yo le pertenezco." (*Op. cit.*, p. 61) Misma observación que al final del aparte antepenúltimo.

(V) "Para nosotros, la nación es todavía un hecho patético, y por eso nos debemos todos a ella. En el vasto deber humano, nos ha incumbido una porción que todavía va a darnos mucho quehacer. Yo diría, trocando la frase de Martí, que Hidalgo todavía no se quita las botas de campaña." (*Op. cit.*, p. 69.)

Hay que empezar por lo nacional, que no es lo folklórico (II), para elevarse a lo universal (I). Hay que ser liberal con la vocación ajena (III) y no forzar la propia espontáneamente vertida sobre lo nacional, en la convicción de que lo hecho por unos y otros tendrá con espontánea necesidad, en virtud de la nacionalidad de unos y otros, carácter nacional (IV), por lo cual lo decisivo es hacer bien lo que se haga (III). Y lo que se haga será seguir haciendo la patria (V).

Un mensaje de la más rigurosa actualidad, de mediados de 1952, aunque escrito en 1932. ¿Cómo no reconocerle al autor el carácter de precursor y maestro, no en general de tantas cosas mexicanas, hispánicas, y aunque sólo fuera por esto, universales, sino muy particular y específicamente del movimiento de filosofía sobre el mexicano y lo mexicano que predomina resueltamente en la filosofía mexicana, y aun en la cultura mexicana toda, de unos años a éste? Pero el carácter de precursor y maestro de este movimiento retrocede aún y por lo menos otros diez años en el tiempo. Pues el primero de los "Fragmentos varios" que cierran este último volumen de Reyes, de una *Carta a Antonio Mediz Bolio*, de 1922, empieza: "Yo sueño –le decía yo a usted– en emprender una serie de ensayos que habían de desarrollarse bajo esta divisa: 'En busca del alma nacional'. La *Visión de Anáhuac* puede considerarse como un primer capítulo de esta obra, en la que yo procuraría extraer e interpretar la moraleja de nuestra terrible fábula histórica: buscar el pulso de la patria en todos los momentos y en todos los hombres en que parece haberse intensificado; pedir a la brutalidad de los hechos un sentido espiritual; descubrir la misión del *hombre mexicano* en la tierra. . . ¡En busca del alma nacional! Esta sería mi constante prédica a la juventud de mi país. . " ¿No es el programa del aludido movimiento, cuyos principales agonistas son jóvenes integrantes de la última generación destacada en la vida cultural del país? Nada tan justo, tan natural, como que estos jóvenes, mejor informados, mejor formados, hayan puesto *La x en la frente*, realmente en la frente –volumen número I– de la colección "México y lo mexicano" de que quieren hacer el órgano de publicidad por excelencia del movimiento. Porque esto era aquello de que se anunció se trataba con la publicación del nuevo y último volumen de Alfonso Reyes.

"Un sorprendente, y cada vez más creciente, interés de los mexicanos por México, lo Mexicano y el Mexicano ha dado lugar a lo que los historiadores llaman un 'clima' en torno a estos problemas. Trátase de un movimiento tendiente a captar el espíritu de México, el sentido de lo Mexicano y el ser o modo de ser del hombre de esta realidad. Este 'clima' se hace patente en la casi totalidad de nuestras expresiones culturales. . . Este 'clima' se ha desplazado del mundo puramente académico llegando a través de diversas vías, al hombre llamado 'común'. . . Esta popularización de los temas sobre México, lo Mexicano y el Mexicano ha conducido en muchas ocasiones a falsas interpretaciones. . . que han originado disputas y disputas sobre disputas. Por esta razón se hacía necesaria una Colección. . . en la que se expusiesen, en forma concreta y asequible, los diversos enfoques que se han venido dando a estos temas en esta etapa de conciencia de nuestra realidad." Así presenta la colección "México y lo Mexicano", en una "Advertencia" puesta al principio de *La x en la frente*, según ya se dijo, volumen número I de la colección, el fundador y director de ésta, Leopoldo Zea, el jefe reconocido del "Grupo Filosófico Hiperión", verdadero centro en torno al cual gira la labor de los numerosos participantes, filosóficos y no filosóficos –literarios, científicos, artísticos– en el movimiento del que quiere ser órgano la colección.

De Zea es el número II de la misma, siguiente al número I con el ritmo quincenal con que el director de la colección se propone que ésta vaya apareciendo. Este volumen de Zea, *Conciencia y posibilidad del mexicano*, es inseparable de este otro del mismo autor, *La filosofía como compromiso y otros ensayos*: no simplemente porque hayan aparecido por los mismos días, sino porque *Conciencia y posibilidad* es el último y más vasto ensayo de una serie cuyos miembros anteriores y menores –tan sólo por la extensión– forman parte de *La filosofía como compromiso*. La serie está constituida por *La filosofía como compromiso* (1948), que da título al volumen en que figura, *El sentido de responsabilidad en el mexicano* (1949), *La filosofía mexicana en los últimos cincuenta años* (1950), *Dialéctica de la conciencia en México* (1951) y *Conciencia y posibilidad del mexicano* (1952). Es la que puede llamarse serie del manifiesto anual de Zea, como jefe del Hiperión, desde la primera aparición pública del grupo, en una serie de conferencias, del otoño de 1948, de la que quedará en la historia de la cultura mexicana una memoria comparable a la de las conferencias del "Ateneo de la Juventud" en 1910. A otras series de conferencias del mismo Grupo pertenecen también "El sentido de responsabilidad" y la "Dialéctica de la conciencia". De los vínculos señalados entre Alfonso Reyes, en un extremo, y el Hiperión, en el otro, pasando por Zea, son testimonio las dedicatorias de los dos volúmenes de éste: *Conciencia y posibilidad del mexicano* está dedicado "A don Alfonso Reyes, Mexicano Universal" –y aún se ha de ver el alcance simbólico de esta dedicatoria–; *La filosofía como compromiso*, "A Ricardo Guerra, Joaquín Macgregor, Jorge Portilla, Salvador Reyes Nevárez, Emilio Uranga, Fausto Vega y Luis Villoro, fundadores del Grupo Filosófico Hiperión."

A la serie indicada no son del todo extraños, ni mucho menos, los otros seis trabajos recogidos en *La filosofía como compromiso*, que versan sobre pensadores mexicanos (Mora y Caso), sobre problemas americanos ("México en Iberoamérica", "Norteamérica en la conciencia hispanoamericana"), sobre problemas internacionales universales de la más aguda actualidad. ("La paz perpetua", "¿Qué debemos elegir? ") El pensamiento de Zea se ha condensado creciente en los temas concéntricos México, América, la comunidad internacional de los hombres. El propio Zea dice: ". . .los trabajos aquí presentados se hallan unidos, en su conjunto, por una tesis general que, en cierta forma, enuncia el ensayo que sirve de título al libro: *La filosofía como compromiso*. . . La característica general de estas páginas no es específicamente filosófica –es decir, más o menos académica–, sino que quiere ser la expresión de una actitud concreta y responsable frente a determinados problemas que me atañen como hombre de mi tiempo y como individuo miembro de la comunidad que es América en general y México en particular." (*Op. cit.*, "Advertencia", p. 9.) La creciente condensación del pensamiento de Zea en estos temas ha consistido en un doble movimiento circular, de enriquecimiento de ciertos temas centrales en motivos circundantes y de ahondamiento progresivo de la unidad de unos y otros. Bastará a probar que es así y a mostrar cómo, el conciso resumen, único posible aquí, del contenido de los trabajos integrantes de la serie antes destacada.

La filosofía como compromiso empieza por sentar las relaciones existentes entre el concepto de "compromiso" y la existencia y la filosofía. ". . .todo hombre es un ente comprometido, esto es, inserto, *arrojado* o puesto en un mundo dentro del cual ha de actuar y ante el cual ha de ser responsable." (*Op. cit.*, p. II) "Así como los otros nos comprometen con sus actitudes, nosotros los comprometemos con las nuestras. . . En cada una de nuestras actitudes nos jugamos la existencia; pero también nos jugamos la existencia de los otros. Y a su vez, éstos al jugarse su existencia se juegan la nuestra." (*Ibid.*, p. 13) "El filósofo es el hombre más consciente de esta su *situación* comprometida. . . En la filosofía, el filósofo se compromete por la humanidad ante la Humanidad." (p. 14) "Filosofar no es para él un puro afán de saber por saber, sino un compromiso que se tiene con la comunidad." (18) Pero el ineluctable compromiso que entraña la existencia de cada hombre puede ser por parte de éste objeto de una de dos actitudes muy distintas: "como *condena*, como inaplazable e inevitable compromiso. . . como *contrato*, mediante el cual el individuo acepta determinados compromisos a cambio de determinadas ventajas". (16) Una vez provisto de esta pareja de conceptos, procede Zea a hacer sobre la base de ellos una interpretación de la historia entera de Occidente, que se desarrolla a lo largo de las otras cuatro quintas partes del trabajo. Sócrates sería el representante por excelencia de la filosofía representativa a su vez de la "comunidad" de la *polis*, fundada en el sentido del compromiso existencial como condena; Descartes, parejo representante de la filosofía representativa asimismo de la moderna "sociedad" burguesa, oriunda del sentido del compromiso existencial como contrato. Pero el burgués, "que surge dentro de una comunidad medieval, cristiana y feudal", que "se niega a reconocer. . . como la propia", por lo cual "sólo acepta los compromisos de la convivencia. . . porque esto es necesario para vivir" y mientras va "construyendo el instrumental que le haga posible escapar a tales compromisos", de suerte que "a la convivencia *vital* irá oponiendo una convivencia *formal*", el burgués, "pese a todos los esfuerzos. . . para no comprometerse de otra manera que formalmente", va cometiendo "una serie de actos concretos" que le van "comprometiendo materialmente". (21 ss.) Es lo visto primero por el marxismo y últimamente por el existencialismo, que Zea interpreta como aquella filosofía en la que la burguesía cobra conciencia de la situación histórica en que se ha comprometido. "La burguesía, que no quiso responder de un pasado que no consideraba como propio, tiene ahora que responder de un pasado que es su propia obra. A este llamado de cuentas responde la filosofía actual y, más concretamente, el existencialismo del filósofo francés Jean-Paul Sartre." (27) Esta filosofía de la historia de Occidente en general y de la historia de la filosofía occidental en especial, porque no se trata de nada menos, resulta, por obra de la novedad y profundidad del punto de vista desde el cual se contempla la historia, ella misma nueva y profunda –cualquiera que sea la problematicidad de las tesis que la integran–, como quizá ponen de manifiesto mejor que nada el nuevo Sócrates y el nuevo Descartes de Zea, innegablemente certeros en importantes detalles e irresistiblemente sugestivos en otros detalles y en el conjunto: repárese, por ejemplo, en la interpretación de las razones dadas por Sócrates para no escapar a la muerte (20) o en la interpretación de la moral provisional cartesiana (22), ambas notables de veras. Pero Zea no ha diseñado esta filosofía de la historia por pura fruición intelectual: sería lo más repugnante a la filosofía con la que se ha comprometido él mismo. Zea ha diseñado su filosofía de la historia para acabar hablando de la situación actual de los hispanoamericanos como sigue: "Nuestra *situación* no es la de la burguesía europea." (31) "Pero hasta aquí, para hablar de nuestra *situación*, sólo nos hemos servido de negaciones. Esto es, sólo hemos hablado de lo que no somos. ¿Cuál es entonces nuestra *situación* desde el punto de vista de lo que somos?, ¿cuál es nuestro *ser*? He aquí una tarea para nuestro filosofar." (*37*) Puede decirse que los siguientes trabajos de la serie iniciada con "La filosofía como compromiso" constituyen la descripción positiva y crecientemente cabal y perfecta de "nuestra situación desde el punto de vista de lo que somos", junto con las aportaciones de Zea a la descripción del ser del mexicano.

"El sentido de responsabilidad en el mexicano" hace desfilar complejamente conectados los siguientes conceptos como aprehensores de otras tantas notas distintivas y fundamentales del ser del mexicano: la "falta de algo" (173), la "imitación" (175), la "pena" (175), el "mañana" (177), la "gana" (177), la "irresponsabilidad" (177), la "vergüenza" (182), la "soberbia" (186). A la explanación del concepto estimado como capital, el de "irresponsabilidad" –"he aquí la palabra que puede definir el horizonte donde actúa el mexicano" (177)– va aneja una historia de la formación, en el mexicano, de las notas aprehendidas mediante los conceptos nombrados hasta el de "responsabilidad" inclusive. El concepto de "soberbia" suministra la paradójica y sorprendente explicación decisiva y acarrea la conclusión práctica que siempre requiere de Zea su filosofía. "En nuestro sentimiento de *inferioridad, insuficiencia, resentimiento, y reducción*, se hace patente algo más oculto, un sentimiento más hondo, algo que no queremos exhibir porque nos avergonzaría dadas nuestras circunstancias actuales, el de la *soberbia.*" (186) "Por sentirnos capaces, por sabernos a la altura de los grandes pueblos, es por lo que hemos sentido en forma tan negativa lo que consideramos un fracaso." (186) "No pudiendo ser semejantes a estos pueblos, preferimos no ser nada." (188) ". . .la causa de nuestra frustración ha sido nuestra negativa a responder por nuestra realidad. . . Por no adecuar nuestros proyectos a ella hemos dejado inéditas muchas de sus posibilidades, y cualidades. En vez de hacer derivar nuestros proyectos de estas sus posibilidades hemos querido que éstas se adapten a aquéllos, fracasando necesariamente. De este fracaso somos los mexicanos los únicos responsables; reconocerlo será uno de los primeros pasos que nos lleven a nuestra reivindicación. El saber esto es ya un gran primer paso para una readaptación de nuestros proyectos en forma tal que puedan ser realizados. La toma de conciencia de esta realidad nuestra, con sus grandes defectos pero también con las cualidades que por contrapartida se han de ofrecer, es ya también un gran paso en ese sentido". (189)

El concepto de "irresponsabilidad", que es el de una variante de las actitudes posibles en relación con el "compromiso", representa el hondo nexo conceptual entre los dos trabajos de Zea acabados de reseñar. El concepto de "conciencia" es el mismo nexo entre el segundo de los dos y "Dialéctica de la conciencia en México". Empieza éste por una notable interpretación social e histórica del concepto de "conciencia", entendido en nuestro tiempo de una manera exclusiva, o por lo menos muy predominantemente, individual y ahistórica. La notable interpretación de Zea procede sin duda de Hegel, sobre el cual ha trabajado Zea mucho en sus cursos universitarios de estos años pasados y de cuyo *unglückliches Bewusstsein* hay una indesconocible reminiscencia en capital pasaje de este comienzo del trabajo de Zea. En todo caso, y así como las consideraciones iniciales de *La filosofía como compromiso* sobre el compromiso, la existencia y la filosofía fueron la introducción "fenomenológica" de los conceptos necesarios a la articulación de la subsiguiente filosofía de la historia, así ahora estas iniciales consideraciones sobre la conciencia son la introducción del concepto del fenómeno la historia del cual en México constituye el cuerpo del trabajo, después de otras consideraciones, intermediarias, centradas en torno a la dialéctica en que consistiría más esencialmente la historia de la conciencia: la dialéctica de los "pueblos que se consideran a sí mismos como donadores de lo humano" (194), singularmente los occidentales, y "esos pueblos a los que se ha dado el nombre de colonias" (197), entre los cuales figuran los hispanoamericanos. La historia de la "toma de conciencia" de su humanidad por México, como puede formulársela con máxima concisión, se inicia con lo que puede llamarse, para mayor concisión también, la deshumanización del indígena por el conquistador. Continúa con la reacción del indígena, que envuelve al conquistador, convirtiéndole en el "indiano", distinto ya del español y autor, a su vez, de nuevas distinciones en el mundo humano de la colonia. Una nueva etapa la marca la modificación de la humanización colonial del mexicano por el humanismo del siglo XVIII. Zea considera "esta época la menos mexicana de nuestra historia" (205), hasta el extremo de que "la mexicanidad de que se habla no es expresión de la realidad que rodea al hombre de México, sino su completa negación". (205) Aquí reacciona Zea contra la conceptuación del humanismo mexicano del siglo XVIII hecha principalmente por el difunto doctor don Gabriel Méndez Plancarte, el autor de esta nota y discípulos comunes de ambos como Bernabé Navarro y Rafael Moreno: no parece del todo infundado ni injusto decir que, como es sólito, la oposición polémica ha llevado a Zea algo más allá de lo rigurosamente histórico –dentro del rigor dado a la Historia entre las demás disciplinas más o menos "rigurosas" aunque nada "exactas". "Naturalmente", acto seguido ve Zea al mexicano del siglo XIX "más cerca de la realidad que le tocaba en suerte que el mexicano del XVIII que negaba esta realidad mediante abstracciones importadas". (208 s.) Al mestizo, figura dominante del México del XIX, adscribe Zea el positivismo y el porfirismo. Pero éstos representan un orden que "como los anteriores que se apoyaron en una serie de supuestos ideales, tomados prestados de realidades. . . ajenas, caerá igualmente roto". (211) El auténtico "hombre de México", sofocado hasta entonces, hace su salida "más poderosa y, lo deseamos, definitiva" en la "Revolución que sintomáticamente ha sido llamada mexicana." (211) "Este movimiento tuvo su raíz en la entraña misma del hombre de México. No le movieron teorías o filosofías importadas." (212) "Con esta Revolución se inicia una auténtica vuelta del hombre sobre sí mismo." (213) A esta interpretación de la Revolución siguen unas importantes consideraciones finales acerca del tema que puede cifrarse en los términos "nacionalismo y universalidad", sobre el cual en general se ha de apuntar aún algo, pero en el desarrollo del cual en el final de este trabajo de Zea hay una parte merecedora de que se llame particularmente la atención sobre ella: la referente a "las llamadas épocas o etapas de 'normalidad del mexicano', esto es, modelos para nuestra futura acción". (214) La conclusión de Zea es: "Lo normal no puede estar en el pasado, sino en el futuro. . . Lo normal es el hombre sin más. . ." (215)

El concepto de conciencia es también nexo, el más patente –ya en los títulos– entre "Dialéctica de la conciencia en México" y *Conciencia y posibilidad del mexicano*; y el primero, en cuanto que la primera parte de este libro se titula "Toma de conciencia". Con los dos primeros capítulos y el cuarto y último de esta parte, "Relatividad de lo universal y universalidad de lo concreto", "Angostamiento y universalidad de la conciencia" y "Lo mexicano como categoría universal", empieza de nuevo Zea en el punto en que había concluido en "Dialéctica de la conciencia": el tema "nacionalismo y universalidad". El capítulo tercero, "La nueva actitud filosófica en México", anuda principalmente con el final de "La filosofía mexicana en los últimos cincuenta años", pero también, ya más expresa, ya más tácitamente, con los finales de las historias que, como se ha visto, trazan "La filosofía como compromiso", "El sentido de responsabilidad", "Dialéctica de la conciencia". El grupo Hiperión se ve constantemente a sí mismo como han solido verse los más grandes filósofos individuales, desde Aristóteles hasta Hegel por lo menos: como la *entelequia* de la evolución filosófica más directamente anterior. La segunda parte del libro está dedicada a "La revolución como conciencia de México." Es una gran ampliación de la interpretación de la Revolución incoada según se apuntó hacia el final de "Dialéctica de la conciencia". La conexión conceptual más profunda con los decisivos temas de esta dialéctica y de "nacionalismo y universalidad" (título del capítulo VIII del libro) se halla en el doble carácter peculiar de la Revolución, en la que, por un lado y como ya se citó, "se inicia una auténtica vuelta del hombre sobre sí mismo", mientras que, por otro lado, se trata de una revolución tan exclusivamente nacional, y aun nacionalista, que resulta el "polo opuesto de las revoluciones llamadas mundiales". (*Conciencia y posibilidad*, p. 25) De todos estos antecedentes, no sólo los de las dos primeras partes de este libro, sino también los de los trabajos anteriores de la serie, salen las aportaciones más amplias y positivas de Zea hasta ahora a la filosofía de lo mexicano y del mexicano, en la tercera y quinta parte del libro, "Comunidad y Moral" y "El mexicano como posibilidad". Porque la cuarta parte, "Conciencia de lo negativo y de lo positivo", interrumpe aquella filosofía con un intermedio histórico y metodológico. Esta parte, en efecto, echando por delante la idea de que "la toma de conciencia de la realidad mexicana tiene una historia", vuelve sobre esta historia, para trazarla de nueva manera: un apretado resumen de la anterior a la Revolución y de la etapa posterior caracterizada por la obra de Vasconcelos y Caso; un largo capítulo sobre la etapa de la "conciencia crítica de la realidad mexicana", en que se trata de Samuel Ramos, Rodolfo Usigli y Agustín Yáñez; y un capítulo, mitad más corto, sobre la etapa de la "conciencia constructiva de la realidad mexicana", que expone las repercusiones de la Segunda Gran Guerra sobre la conciencia de sí mismos de los pueblos de Europa y América y se ocupa con Octavio Paz y el Hiperión. Los simples calificativos de "crítica" y "constructiva" dados a la conciencia propia de cada una de estas dos últimas etapas sugieren el sentido de superación de la primera por la segunda que ve Zea en el tránsito de aquélla a ésta. Lo más importante es que la conciencia constructiva de que se trata se manifiesta en Zea como una fecundísima "salvación de las circunstancias" mexicanas que, siendo corrientemente desvaloradas como negativas, son, sin embargo, bien susceptibles de una potenciación que les dé un valor positivo: de las formas más características de la vida política y social mexicana en "Comunidad y moral"; de algo de esto mismo, nuevamente, de las relaciones entre la técnica y el hombre en México, y de la misma "situación límite" que se hallaría en la raíz de este hombre y de su existencia toda, situación descrita por Zea sucesivamente con los conceptos de "azar", "querer ser", "oportunismo" y, sobre todo, "zozobra como permanencia creadora". Estos capítulos contienen descripciones y análisis muy felices de "fenómenos mexicanos", pero lo más importante es la indicada potenciación o salvación, que concluye así: "Los modos de ser del hombre de México que aquí se han venido describiendo, son modos de ser que, sin ser privativos del mexicano, pueden dar origen, si se racionalizan y hacen conscientes, a formas de conducta originales y ejemplares para otros pueblos en circunstancias parecidas a las nuestras. Formas de conducta que, como hemos visto en los ejemplos presentados respecto a las relaciones del mexicano con la técnica y la sociedad, no tienen por qué ser necesariamente negativas". (104)

Esta conclusión tan positiva no es sino una última manifestación del espíritu animador de un libro condenado de muchos por negativo a raíz de su aparición, y aun harto después, y que, por coincidencia en que cabría reconocer un caso más de la presencia y acción –aunque sólo sea parcial– de la razón en la historia, ha llegado hace poco a México en su tercera edición, en una colección tan popular, que equivale a su pública consagración como clásico en la comunidad internacional hispánica, prenda de acabar siéndolo en la universal: *El perfil del hombre y la cultura en México*, de Samuel Ramos. Esta tercera edición no difiere de la segunda, de 1938 (la primera es de 1934), sino en la adición de un prólogo y media docena de artículos sobre temas relacionados con los del libro, y en la supresión del capítulo "El indígena y la civilización", con la que parece haber sorprendido al autor mismo un caso más de esa irrespetuosa e injustificada colaboración que a los autores prestan a veces los editores haciendo y deshaciendo por su cuenta, tan presuntuosa como ignara. Del contenido de este libro, bien conocido, resultaría superfluo repetir aquí nada; no lo resultará, en cambio, añadir acerca de su significación algo a lo escrito por el autor de esta nota a poco de haberse publicado la segunda edición del libro. El autor de esta nota no puede menos de complacerse en recordar que, arribado a México muy poco después de dicha publicación, la primera suya en México fue sobre el libro de Ramos: un artículo –en *Letras de México*– de cuyos puntos tiene particular interés aquí el que señalaba las relaciones entre la filosofía de salvación de las circunstancias españolas cuyo programa trazara Ortega y Gasset en su prólogo a las *Meditaciones del Quijote* y la filosofía de salvación de las circunstancias mexicanas que viene a ser el contenido del libro de Ramos; y el que veía, o mejor, preveía en esta filosofía la auténtica filosofía mexicana del futuro inmediato. Aquellas relaciones fueron confirmadas expresamente por el propio Ramos en publicaciones posteriores. La mentada previsión resulta confirmada en especial por el hecho de que los jóvenes agonistas de la filosofía del mexicano y lo mexicano reconozcan declaradamente el antecedente más específico y decisivo de esta su filosofía en el libro de Ramos.

Ramos y Zea han venido a ser dos directivos de la filosofía en México curiosamente emparejados por su destacarse en cada una de las dos generaciones siguientes a la de los jóvenes maestros del Ateneo de 1910 y máximos maestros del México posterior: por su primario preocuparse del mexicano y su cultura; por su colaboración de estos años al frente, como Director y Secretario, de la más alta sede de la filosofía en México, la correspondiente Facultad de la Universidad Nacional; y hasta por más de un rasgo caracterológico: ambos son hombres de poca palabra y buena pluma; ambos, bravos en la expresión de sus ideas; ambos, dotados de la más auténtica de las originalidades, la que consiste en no jurar por las palabras de ningún maestro, ni de papel y tinta, ni siquiera de carne y hueso, reduciéndose a utilizar, de la manera más libre, aquellas partes de las concepciones ajenas –psicoanálisis o existencialismo– que les parecen puros instrumentos auxiliares más adecuados para resolver sus problemas de mexicanos. Ramos ha avanzado más hacia el diseño de un sistema filosófico personal, por *Aufhebung* de la filosofía contemporánea (*Hacia un nuevo humanismo*). Zea ha avanzado más hacia la acción en el centro público de la vida espiritual de México, con una energía de consecuencia, una flexibilidad de medios, una eficacia de influencia sobre los más jóvenes y un significado en conjunto moral *lato sensu* de su obra toda, que le dan un aire de joven Sócrates de la Atenas americana –como creo recordar haber llamado antaño alguien a esta ciudad de México. Es que a Zea le distinguen, entre los demás miembros ya públicamente destacados de las generaciones más jóvenes, la conciencia de los problemas, el sentido concreto y colectivo de éstos y el práctico de la actitud final frente a ellos –a diferencia de los que cultivan, en una actitud más exclusivamente teorética, y hasta puramente esteticista, temas menos representativos de problemas concretos de la colectividad, y que sólo parecen más filosófos por infundada persistencia del predominio de ciertas notas tradicionales de la filosofía en la representación más corriente aún de ésta.

Gracias a estas propensiones de su mente y a estas prendas de su carácter, parece Zea a salvo, y apto para cooperar decisivamente a que otros colaboradores de la empresa cuya área se extiende mucho más allá del grupo Hiperión, se salven de los riesgos entrañados por ésta como por toda humana empresa, empezando por la misma de existir. Dos se han destacado como cardinales amenazas capaces de desquiciar la filosofía del mexicano y lo mexicano: sendas conjugaciones inadecuadas de lo mexicano y lo universal y de lo teórico y lo práctico. La idea de que la filosofía mexicana será el resultado del filosofar sobre lo mexicano –en que puede comprenderse el mexicano– podía conducir a una pura contemplación inoperante de lo mexicano en oposición a lo universal, cuando lo que importa parece ser esforzarse por resolver auténticos problemas de las concéntricas circunstancias mexicana y universal, dejando a la idiosincrasia mexicana de los problemas de la primera y de los autores de las soluciones a los de ambas el carácter mexicano del planteamiento de los problemas, de la formulación de las soluciones y de la filosofía toda constituida por unos y otras. Pero si el resultado final fuese más bien ciencia que filosofía, como pudieran "temer" algunos, ¿no sería una confirmación del destino de reducción a lo científico de ella, si es que no a la ciencia misma, que parece ser, a pesar de todas las reacciones de nuestro siglo contra el positivismo del pasado, el de la filosofía? La lección ya de Reyes: problemas mexicanos y universales (I), espontaneidad mexicana del tratarlos (IV), resultante edificación práctica de la patria (V), hacerse responsable de México, compromiso con México aceptado como condena grata y gloriosa, e incluso vocación científica de México. Y he aquí cómo la lección se presenta sabida por Zea. Ya en "La filosofía como compromiso": "Un conjunto de problemas típicamente nuestros se entrecruzan con una serie de problemas internacionales. . ." (*La filosofía como compromiso*, p. 36 s.) Frente a ellos: "Ahora, que nos atrevemos a sacar de la misma realidad las formas que mejor sirvan para su transformación, no podríamos caer en un esteticismo contemplativo que nunca ha tenido que ver con nuestra existencia." (*Conciencia y posibilidad del mexicano*, p. 94.) Y para concluir: "Se va a la propia realidad, no para quedarse en ella sin más, sino para abstraer de ella el conjunto de posibilidades que permitan una eficaz colaboración con el resto de los pueblos, con la humanidad." (*La filosofía como compromiso*, p. 198.) El más propio y más acertado existencialismo humanista.[1]

1. Agosto, 1952. *Cuadernos Americanos*, 1952, 5.

CRISIS Y PORVENIR DE LA CIENCIA HISTORICA

Carta abierta a Edmundo O'Gorman

Querido Edmundo: La forma pública en que tuvo usted a bien dedicarme su último libro,[1] me hizo pensar desde un principio que no estaría bien acusarle recibo tan sólo privadamente –tanto más, cuanto que su libro merece de todo punto que registren su aparición estas notas de *Cuadernos Americanos.* Pero usted soltó el libro y se largó a Europa, como quien dice "ahí queda eso", y ello me hizo aguardar su regreso para dirigirle esta carta. Sirva de explicación del retraso de meses con que va a llegarle– a usted y a los lectores.

El que usted me haya dedicado la crítica de la historiografía "científica" de los tiempos contemporáneos o "historiografía" a secas, como propone usted llamarla, y el correlativo programa de una nueva historiografía, para la que propone usted también el nombre de "historiología" –el que usted me haya dedicado esta crítica y este programa me mueve al singular agradecimiento suscitado por las razones que le declararé al final– porque antes quiero decirle cuántas cosas me parecen en su obra otros tantos aciertos, según estoy seguro juzgarán conmigo todos los que la lean, sin que en ellos puedan influir los afectos que en mí.

En la crítica de la "historiografía" hay series de páginas que, si los medios intelectuales de nuestros países fuesen los resonadores que son los de otros, pronto serían famosas y no mucho después clásicas. Aludo, naturalmente, a la sección "La historiografía, instrumento de dominio" y a las páginas de la sección "La verdad histórica" que, para puntualizar el carácter científico, el valor de verdad de la "historiografía", hacen irrecusablemente patente en ésta una manifestación por excelencia de lo que llama modo cotidiano o modalidad impropia de la existencia humana *el* maestro del existencialismo contemporáneo. La forma en que usted delata la *List* con que los intereses políticos y nacionales pusieron a su servicio más y mejor que la vieja Historia pragmática la nueva "historiografía" científica, teóricamente pura, desinteresada, es de la más alta escuela de aquellos de quienes uno dijo que su genio estaba en sus narices. Pero no todo es mera intuición, por genial que fuese. El análisis del método "rankeiano", de su principio de lo ajeno del pasado, de su criterio del testigo más cercano y de vista, de su fórmula de "lo que verdaderamente ocurrió", para concluir que el "verdaderamente" representa la asimilación de la ciencia histórica a la ciencia exacta de la naturaleza, y aun a la matemática pura y simple, en interés del beneficiar de la validez universal de estas últimas ciencias a fines humanos, demasiado humanos –este análisis es del rango de una obra epistemológica que lo sea de primero. Y todavía viene el ahondamiento de la interpretación del método de la "historiografía", y de esta misma toda, desde el concebir el pasado como lo que ya no es, pasando por el considerar como histórico primario los "hechos", lo que es sólo derivado de lo histórico verdaderamente primario, la existencia humana, o por el considerar la naturaleza humana como ahistórica y la historia como "evolución natural", y pasando por el exhibir irresistiblemente en la "historiografía" las "habladurías" por eminencia, para acabar revelando en el "ideal" del progreso indefinido del conocimiento histórico un subterfugio elusivo de la finitud, de la mortalidad humana –qué, "humana": de cada uno de nosotros, con su individual personalidad irremplazable. En las páginas sobre la "historiografía" como "habladurías" se regocijará todo lector con la verbosa pintura, en todas las páginas del mismo conjunto admirará el lector enterado un caso más entre los relevantes de apropiación y aplicación original de una ajena doctrina filosófica magistral. –Pero quizá lo que más personalmente me ha impresionado sea la contracrítica que hace usted de la vulgar crítica contra el "historicismo". Me parece, en efecto, sumamente aguda la relación en que pone usted con la "historiografía" el "historicismo" y la vulgar crítica contra él: ese probar que las premisas de cuya validez depende la de la conclusión que saca dicha crítica están suministradas por la inválida concepción "historiográfica" del pasado ajeno; pero, sobre todo, me parece tan nueva, tan original como convincente esa visión iluminadora, reveladora, de que la angustia escéptica que la crítica vulgar hace caer sobre el historicismo debe recaer más bien sobre el pasado dogmático a que responde y corresponde en última instancia la "historiografía": en efecto, nada tan natural como que quien piensa que no puede serle dada la verdad si no le es dada en común con el universo de las criaturas cognoscentes –y aún con el Creador, o, en realidad, con Este sobre todo (en el fondo: si no impone su verdad a los demás en nombre a medias de Dios y propio), sienta la angustia de que no se le dé, mientras que quien piensa que a cada uno le es dada una privativa verdad –sin incompatibilidad en principio con que le sea dado además participar en una verdad común– pueda quedar muy contento con esta su verdad.

Es posible que algunos lectores estimen que la idea y el ideal de la "historiología" que usted propone resulta meramente abocetado en términos muy generales. Los más benévolos lo justificarán con las forzosas exigencias o consecuencias de la índole de la obra. Pero yo no estoy enteramente conforme, para mí –ni, por tanto, puedo o debo estarlo en público. Por mi parte, estimo que si se recogen a lo largo del volumen, no sólo los rasgos que positivamente corresponden a los negativos de la "historiografía", sino y sobre todo, como es justo, los que formulan o hasta desarrollan la idea e ideal de que se trata, el boceto resulta mucho más concreto de lo que pudiera esperarse y pedirse justo de la índole de la obra. Entre todo ello destacan, naturalmente, la quincena de páginas finales de la sección "La verdad histórica". Las verdaderamente finales, las dedicadas a los "temas históricos", me parecen especialmente impresionantes e instructivas –para quienes quieran atender y sepan entender. Porque no voy a ocultarle, querido Edmundo, que me temo que bastantes sigan aún tomando el rábano por las hojas. Es harto probable que si se lee y se entiende en algún sentido su libro, sea en el de un alegato a favor de una Historia *filosófica* de los "hechos" o de una Historia, no tanto de los "hechos", cuanto de las "ideas". Pero si se historían las ideas como se historiaban los "hechos", es decir, si se conciben las ideas como "hechos", o si todo lo que se ocurre es que el tratamiento *filosófico* de hechos o ideas debe seguir la línea de éstos hasta nuestros días, no se dejará de continuar tomando hechos o ideas como "hechos" objetivos o manipulando como "cosa" ajena, no ya el pasado, sino el presente, con paradójica y superlativa incomprensión. Más ingenuo aún sería que se sacara la consecuencia práctica de ser exactamente lo mismo trabajar a base de unas fuentes que de otras o incluso que de ninguna, de las enérgicas páginas metodológicas sobre la selección y crítica de fuentes y la relativa indiferencia de su número, tan intuitivamente probada por la imaginaria suposición de que "desaparecieran todos los ficheros, todos los catálogos y todas las bibliotecas y archivos del mundo", ya que no se la sacara del relativismo historicista en general, como si la historicidad fuera pura posibilidad para practicarla los convencidos y no esencialidad de la obra de todos los historiadores, que sólo se diferencian en ser conscientes de ello o no. La noción de que la Historia no ha sido en las obras maestras de su propia historia, por genio de sus autores, ni en adelante puede ser, por insuficiencia agotada de la fórmula "historiográfica", ni debe ser, por conciencia adquirida y obligada, so pena de no ser Historia, sino la personal visión de la esencia del personal pasado, esencial integrante de la esencia de la propia personalidad presente, tardará tanto en ser evidente y convincente para todos cuanto tardaron en serlo todas las nociones de parejas novedad e importancia, pero llegará a serlo tan indefectiblemente como éstas.

Si la "historiología" que usted expone y propone está expuesta así a ser tan mal interpretada por los falsos historiadores, es decir, por los "historiógrafos", en cambio la de usted no podía ser obra sino de un auténtico historiador. Porque así como sólo auténticos hombres de ciencia, conocedores prácticos, por el trabajo y la creación, de la investigación y la invención científica, pudieron ser los autores de la gran filosofía de la "ciencia" o de la gran filosofía inspirada en y por la "ciencia", y así como sólo un auténtico cultivador de las "ciencias humanas", en especial de la Historia, conocedor en los mismos términos, de trabajo y creación, de la investigación y la reanimación viva del pasado histórico, ha podido ser el fundador de la más reciente filosofía de las "ciencias humanas" y en especial de la Historia, siguiendo tan altos ejemplos sólo un conocedor del oficio como es usted podía saber de él y calar en él hasta donde lo hace, por caso más señalado en este punto, su crítica del método de la "historiografía". No será posible parodiar que es usted historiador sólo entre los filósofos, pero entre los historiadores sólo filósofo, no será posible parodiar así –sin mala fe. Más en general y más a fondo, una obra como esta suya no podía ser original, en el doble sentido de la oriundez y la originalidad, sino de un historiador presa de la "cura" por el destino de su profesión, es decir, de su cara personalidad. El estado actual de la Historia, esa falta de sujeto individual del sinnúmero de investigaciones monográficas o simples acumulaciones de documentos que tan bien esboza usted en una página, y esa consiguiente falta de vida que a su vez trae consigo la falta de público lector registrada por usted en otra página con la comparación, tan deprimente para el día de hoy, del éxito de los grandes historiadores de días anteriores, esta situación es como para poner en inquietud y solicitud por su tarea, por su *vida*, a todo el que en nuestros días haya hecho profesión de la Historia. En todo caso, sólo uno puesto en esta inquietud y solicitud podía beneficiar, empezando por atender a ellas, siguiendo por entenderlas y acabando por separar en ellas lo aprovechable y lo menos plausible, las enseñanzas de la reciente filosofía de las ciencias humanas y de la Historia aludida líneas arriba. La forma en que usted ha beneficiado las enseñanzas de Heidegger es profunda, certera –e independiente, tanto cuanto lo advertirán en sus puntos los más conocedores, cuanto aún los menos lo encontrarán en sus disquisiciones para superar al propio Heidegger por "historicización" de él mismo y en seguida para superar la posible ingenuidad de la primera historicización –aunque esta difícil faena, ya propia y puramente filosófica, sea la más menesterosa de reiteración de toda la obra ¿verdad?– cuanto y usted mismo puede recabarlo sin inmodestia en pasajes oportunos. Pero todo esto sólo le era posible a un historiador en trance de "crisis de los fundamentos" lógicos y *vitales* de su trabajo y su destino. Su libro no podía ser obra sino de un historiador de América que acaba por advertir que la architrillada frase "Colón descubrió América" significa para los actuales algo que no *hubiera* significado de hecho, que no podía significar para Colón, y que al advertir esto cae en la admiración de ignorar lo que pudo significar y de hecho significó para los hombres del pasado y debe significar para los del presente –mas el que por encontrarse admirando se reconoce ignorante no puede menos de sentir el afán de un saber nuevo, en nuestros tiempos como en los de Aristóteles. A tan peculiar y dramática originación hay que atribuir, sin duda, otra de las calidades de su escrito: la del estilo con que lo está, ya tan elegantemente entonado, ya tan ocurrentemente sarcástico, siempre de movimiento tan vivaz que arrastra hoja tras hoja. Prescindiendo, en fin, de otras muchas cosas el comentario de las cuales es imposible en esta carta, como los sorprendentes "ejemplos a la española" del final, que me son particularmente aceptos, y de las discrepancias en puntos que por ser todos secundarios, más o menos, pero secundarios, no debían empañar la impresión primaria que debo y quiero dar a usted y al público lector, puedo concluir, pues, que es la obra de la inquietud y solicitud entrañable de su vida y persona la que me ha dedicado usted, querido Edmundo, ¿y cómo al hallarse preferido para tal destinatario no sentirse conmovido por y movido a excepcionales sentimientos y expresiones? –Suyo.

José Gaos[2]

1. Edmundo O'Gorman: *Crisis y porvenir de la ciencia histórica.* México, 1947.
2. Octubre, 1947. *Cuadernos Americanos*, 1947, 6.

DISCIPULOS EN MEXICO
(Confesiones, 1958)

Discípulos, propiamente, los tuve en Zaragoza y los he tenido en México más que en Madrid. En Madrid vine yo a ocupar respecto de Morente, Zubiri y Ortega un puesto parecido al de Morente respecto de Ortega por los tiempos en que hice la carrera: la cátedra de que era yo titular era la de Introducción a la Filosofía y además era el más reciente, el más joven y discípulo yo mismo de aquellos maestros: mis discípulos dejaban, pues, de serlo, para pasar a serlo más plena y propiamente sobre todo de Zubiri y de Ortega, porque a Morente le impidieron seguir siendo el maestro que era las funciones de Decano, enormes y delicadas en aquellos primeros años de vida de la Facultad con arreglo a un nuevo Estatuto, que la había hecho autónoma dentro de la Universidad misma, y en la Ciudad Universitaria, en que la Facultad fue la primera en funcionar, la única antes de la guerra civil. En cambio, en Zaragoza, la cátedra de Filosofía era una cátedra aislada en una Facultad de Historia, y los estudiantes llamados por la Filosofía no tenían otro profesor que yo. Emoción me causó leer, en un número de *Logos*, la revista de la Mesa Redonda de Filosofía de esta Facultad, una información de España en la que Manuel Mindán, en la actualidad el único profesor de Filosofía en la Facultad de Madrid que por las noticias cuenta intelectualmente para los mismos estudiantes de ella, no reniega, sino todo lo contrario, a pesar de las circunstancias, de su antiguo profesor de Zaragoza, cuando él no era más que un joven seminarista afanoso de salir a otros horizontes filosóficos, pero tan prometedor que, al tener que dejar Zaragoza por Madrid, propuse a la

Facultad, y ésta lo aceptó, que se encargara de mis cursos hasta que la cátedra se proveyera en propiedad según correspondía. Y en México he podido tener discípulos por la generosidad de México: los profesores mexicanos de esta Casa, con el inolvidable don Antonio Caso al frente, nos acogieron a los españoles en perfecto plan de igualdad; más aún: nos dieron la posibilidad de ser, por excepción, profesores de estudiantes encomendados a nosotros poco menos que exclusivamente, o lo más adecuadamente para que haya verdadera formación de un discípulo por un maestro. Tal fue el caso de Zea conmigo.

En aquel primer año, de 1939, empecé a proponer, a aquellos de los asistentes a mis cursos que buenamente quisieran hacerlos, trabajos escritos que, después de leerlos privadamente, criticaba en clase –lo que no quiere decir, para mí, que me limitase a hacerlos objeto de una crítica negativa. Entre los trabajos que se me fueron entregando, ya desde el primer grupo me llamaron singularmente la atención los de un firmante, Leopoldo Zea A., del que ni siquiera sabía cuál de los asistentes a los cursos era. Por ello pedí en una clase que se destacara entre los presentes, y desde aquel momento me dediqué a observarlo –y a notar que tenía como un aire persistente de fatiga, de sueño. Procuré informarme acerca de él, y por él mismo supe que por las noches trabajaba en los Telégrafos Nacionales, por las mañanas estudiaba en la Facultad de Derecho y por las tardes en la de Filosofía: con razón tenía aquel aire; pero no hubiera podido seguir teniéndolo mucho tiempo. Entre tanto, el Licenciado Daniel Cosío Villegas, entonces al frente de La Casa de España en México, me animaba a que le hiciera propuestas en relación con la actividad de la institución recién fundada y cuyas líneas no estaban aún plena y definitivamente trazadas y definidas. Pensando en Zea, le propuse que La Casa iniciara con él la concesión de becas que permitieran a estudiantes prometedores dedicarse exclusivamente a sus estudios bajo la dirección de uno u otro de los profesores de la institución. Por tal vía vino Zea a ser exclusivamente estudiante de Filosofía bajo mi dirección. Para dar a ésta toda la plenitud posible cooperó tan generosa como perfectamente esta Facultad, por ministerio de su Director durante los años de la carrera de Zea, el Doctor Eduardo García Máynez, quien fue autorizando a Zea para ir llevando cada año todos mis cursos en vez de los de otros profesores. ¿Necesitaré añadir que Zea ha probado superabundantemente con los hechos que merecía todo cuanto Casa de España y Facultad hicieron por él? . . . Pues sí, porque es posible que los hechos conocidos de todos no sean tan probatorios como los conocidos quizá sólo de él, de mí y de aquellas pocas personas a quienes debía yo dar y tenía gusto en dar cuenta de ellos, como Alfonso Reyes y Cosío Villegas. La composición de las tesis de Maestría y Doctorado le llevó a Zea sendos años. Para ir fijando el trabajo que hacer y revisando el hecho, nos reuníamos con una periodicidad frecuente, semanal o quincenal. Pues bien, Zea es la única persona de quien sé en el mundo que no haya fallado una sola vez en el cumplimiento de la faena convenida para cada semana o quincena durante dos años. Tan espantosa puntualidad –ya se han percatado ustedes de que he empleado la palabra "espantosa" en su sentido más clásico– no la ha habido, a buen seguro, nunca, ni en Alemania, país de trabajadores intelectuales espantosamente regulares –ahora, el adverbio, pueden ustedes tomarlo *también* en el sentido más vulgar en la actualidad. Cuando Zea preveía que algo le impediría hacer lo que por de pronto yo le proponía, me lo insinuaba, y, naturalmente, yo le hacía una propuesta más adecuada: la propuesta definitivamente aceptada no fue jamás incumplida. Quiero confesar que ahora, al cabo de los años y de las muestras que de sí ha dado Zea, comprendo mejor, sin admirarla menos, aquella puntualidad: como una manifestación, que para persona más perspicaz que yo hubiera sido un prenuncio, de la enérgica voluntad que caracteriza a nuestro amigo tanto como su sagaz inteligencia. ¡Querido Zea, perdóneme usted que, confesándome a mí mismo, le haya confesado un poco también a usted! ¡Qué quiere usted! ¿Quién de los dos tendrá la culpa de que sea usted el mayor éxito de mi vida como profesor? . . . Si toda vocación y profesión debe justificarse con las obras, y usted no existiese, tendría que inventarle.

A cuatro son reducibles las promociones que ya he tenido aquí, en México, de alumnos, muchos de los cuales me han autorizado a que los llame discípulos llamándoselo públicamente ellos mismos. A decir verdad, hasta con exageración: pues se lo llaman algunos, que en verdad, en verdad, no lo son. ¿Cómo va nadie a rechazar el nombre de discípulo suyo que se dé alguien? Sería el colmo de la descortesía y la ingratitud. Mas, por otra parte, la justicia, esta virtud a veces más incómoda que ninguna de todas las siempre algo incómodas hermanas, la justicia obliga a no tomar la expresión de los sentimientos por conceptos rigurosos. Y así, bien puedo recibir en mi afecto por lo que ellos quieran a un Manuel Cabrera, un Justino Fernández, un Edmundo O'Gorman, y aun a otros que formaron parte de la promoción de Zea; pero la justicia me obliga a declarar que si discípulo de uno es aquel a quien uno forma, sobre todo si es inicialmente, y más aún si es decisivamente, por lo menos los tres nombrados estaban ya formados hasta el punto de que ya habían señalado con obras la orientación toda que iban a seguir y siguieron efectivamente, cuando entraron conmigo en la relación de que aún no han salido, ni llevan trazas de salir. . . Se trata, mucho más propiamente que de discípulos, de amigos, a dos de los cuales –no impedidos por la larga ausencia del tercero– mi propio desarrollo durante esta etapa de México, la de la maduración, y por lo mismo la decisiva, debe tanto, por lo menos, cuanto ellos me dicen deberme y hasta están muy convencidos de deberme.

Más propiamente discípulos míos son algunos de los integrantes de las otras tres promociones, que llamaré de los historiadores, de los hiperiones y de los hegelianos. Más propiamente discípulos míos, aunque tampoco lo hayan sido tan casi exclusivamente como Zea, por haberlo sido, igualmente que de mí, de otros profesores de esta Casa, y hasta de fuera de ella; pero en la parte en que han sido discípulos míos, bien creo poder tratarles como a tales.

Llamo "de los historiadores" a la primera de las tres promociones, porque los que en ella más se han destacado hasta ahora, se han destacado principalmente como historiadores de las ideas en México. Es la promoción de los que, después de Zea, respondieron a la colaboración que solicité en materia de historia de las ideas en México. Había que empezar por lo más hacedero en las circunstancias. Y lo más hacedero era, por lo demás, fundamental en dos direcciones: la filosofía mexicana original debía seguir haciéndose sobre un conocimiento cada vez más perfecto de la historia ideológica del país; la actualidad de la filosofía universal requería fomentar el ambiente favorable a la comprensión histórica de los productos de la cultura en general, de la filosofía en especial, y la mejor, si no la única, manera de fomentar tal ambiente era, es, el cultivo de la Historia de las Ideas. A quienes se han destacado en la obra colectiva a que estoy refiriéndome quiero decirles que estoy seguro de que la parte que les corresponde persistirá en la historia de la cultura mexicana en la posición y con la duración de los sillares cimientos de vastos y altos edificios.

Los hiperiones –ah, los hiperiones; qué mozos éstos, caramba– todos tienen talento, mucho talento, y todos, curiosamente, aunque sea en diversas variedades, de la especie de la agudeza y arte de ingenio; pienso que alguno tiene incluso genio, sin que ello le impida tener además mal genio– pero. . . no todos han trabajado hasta ahora, no ya *igual*, sino *por igual*, y todos tienen unas proclividades políticas que me hacen temer, no por ellos, sí por la obra intelectual que serían tan capaces, tan excepcionalmente capaces de llevar a cabo. . . Hay que hacerles la justicia de reconocer que sus proclividades políticas están *esencialmente* unidas al tema en que con una clarividencia que es una de las pruebas irrecusables de su talento han reconocido el tema de la obra intelectual de ellos como generación. El riesgo, pues, que la obra intelectual corre, de no ser llevada a cabo, por paso de la proclividad a la caída total en la política, radica en la esencia misma de la obra que lo corre: por eso ésta lo corre tanto, por eso él es tan inminente y tan grave. ¿Qué podrías hacer Tú, Dios mío, único que puede hacer esas cosas de las que decimos "si Dios no lo remedia", qué podrías hacer para hacerles más seductora la vida puramente intelectual que la acción impuramente política, la gloria puramente intelectual que el poder, que la riqueza, que el brillo social? . . . Porque entre ellos se encuentran, bien lo sabes, mejor que nadie, las mayores posibilidades que tiene México de llegar a poseer más de un gran filósofo. . . ¿O será mejor que rogar a Dios, conjurar al Diablo? . . . –En fin, esta promoción ha tenido, en conjunto, algo de. . . ¿cómo lo dire? . . . algo de. . . algo de. . . "*vedettismo*" –lo que si bien e indisputablemente la estimuló en los comienzos, a la larga puede serle fatal.

En cuanto a los que he llamado hegelianos, porque ellos mismos eligieron, con elección que no dejó de sorprenderme, a Hegel como el clásico en que formarse, son todavía algo "tan más" futuro aún que los hiperiones, que decir algo más de ellos sería de todo punto impertinente si unas confesiones fuesen unas memorias. Porque no lo son, es por lo que no he titulado estas lecturas de memorias, sino de confesiones. En las confesiones pueden entrar hasta los recuerdos del porvenir. Diré, pues, de estos hegelianos un par de breves cosas: una impresión y una esperanza. Me hacen la impresión de ser mucho menos brillantes que los hiperiones, pero no por ser sus aptitudes inferiores, sino por ser, juntamente con su carácter, de otro sesgo; es posible, además, que para acuñar bien su propia originalidad, en la ineludible reacción contra la generación anterior, voluntariamente cultiven una cierta opacidad. Por todo lo cual espero precisamente de ellos que reconozcan como su misión generacional el hacer entrar a la filosofía mexicana definitivamente en la etapa de la normalidad colectiva y no dependiente exclusivamente de la genialidad personal, y del intercambio regular con la filosofía *strictissimo sensu* internacional.

De todos los grupos de discípulos de que he hablado, desde el de Zaragoza, han formado parte discípulas; pero he dejado a éstas para capítulo aparte, porque las discípulas le plantean al profesor un problema profesional muy especial.

No ninguno de los dos que ustedes se están maliciando, según se traicionan en esas sonrisitas –que alcanzo a ver desde aquí.

No el que me plantearían el precepto legal o la norma social de aceptar en las clases y seminarios a las estudiantas inscritas y en las conferencias a las damas y damiselas del público en general, siendo enemigo de las mujeres también en general, pero en especial estando convencido de la inferioridad mental de la mujer –según. . . hasta se me ha achacado públicamente. Y no es éste el problema aludido, sencillamente porque no hay tal problema, al no haber ni la enemistad, ni la convicción mentadas. Me son antipáticas las intelectuales apócrifas como no me lo son menos los intelectuales de la misma laya: trátese de las nenas que emprenden carreras en busca de marido, trátese de las *snobs* de los cursos y conferencias a las que hace ya muchos años dediqué unos parrafitos estampados en uno de mis libros, particularmente a aquellas que confunden la sala de conferencias con un *beauty parlor*, sala de maquillaje o hasta de masaje intelectual, como aquella dama que, ya, por fortuna, antaño, me decía: "Doctor, asisto a sus conferencias, porque me cuesta tanto trabajo seguirlas, que creo que los esfuerzos que hago me ayudan a adelgazar." Para limpiar mi aula de ellas tuve en alguna ocasión que apelar a un recurso heroico: no habiendo servido ni las corteses indirectas, ni las directas hasta un poco brutales, me puse a explicar la *Física* de Aristóteles lo más austeramente que pude –y santo, o pagano, remedio: bien pronto habían desistido, esto es, dejado de asistir, todas. Quizá sea uno de los motivos profundos, inconscientes, de mi devoción por Aristóteles.

Mas en cuantos casos lo han sido de intelectuales auténticas, con vocación sincera y las capacidades que a ésta únicamente suelen ser anejas, estoy seguro de haberlas tratado desde el primer momento hasta el último en perfecto pie de igualdad con aquellos de sus compañeros por quienes mayor y mejor estimación haya sentido; y estoy también seguro de que si las convenciones sociales que regulan la marcha de reuniones como ésta las dejasen, mis discípulas aquí presentes no me dejarían mentir.

Pero el problema profesional no es tampoco el contrario al de la presunta enemistad: el que plantearía el hecho de enamorarse las discípulas de los profesores y éstos de las discípulas. Porque tampoco hay tal problema. Las discípulas que se enamoran de veras de un profesor suyo son muchas, pero muchas menos de las que lo parecen, y por parecerlo han dado origen al dicho, que no hecho, para los observadores poco penetrantes de cierta coquetería, por ejemplo, las miradas fijas durante las clases, las consultas diarias a la salida y la languidez de las posturas y los gestos al acercarse los períodos de exámenes; al experto –no en erótica, sino en didáctica, nada de ello le engaña: lo que estas discípulas desean de su profesor no son sus pleitesías humanas, sino pura y simplemente sus favores académicos. Y por parte de los profesores, también el caso del que se enamora de veras de una discípula suya es mucho más raro de lo que parece, igualmente a los observadores poco penetrantes de ciertas condescendencias que bien pueden ser no más que inocentes ardides pedagógicos. Adiciónese que en los ya escasos casos en que una discípula se enamora de veras de un profesor o éste de una discípula no siempre hay correspondencia; con lo que podrá haber un problema psicológico, pero no hay ningún problema propiamente profesional. Con todo lo anterior, es bien visible la disminución del número de los efectivos casos profesionalmente problemáticos. Y en el caso, en el caso excepcional, singular, aunque se trate de dos, en que una discípula y su profesor se enamoren de veras mutuamente –pues, en este caso, sí habría, además de otros posibles, problema propiamente profesional; es decir, se aguzaría, hasta poder herir a las almas en las entretelas más delicadas e íntimas, el problema *general*– que es, ya, el siguiente.

El del logro de una filosofa, en la plenitud significativa de los términos "filósofa" y "logro". Ya en Madrid era como si nos causase obsesión tácitamente a todos los profesores de la escuela de Ortega, desde éste mismo hasta mí. ¿Cómo interpretar en otro sentido los literales mimos con que todos cuidábamos, hasta el en las apariencias nefelibata Zubiri, a las estudiantas de Filosofía que nos parecían más de veras vocadas y dotadas para ella? No puedo menos de recordar un caso; no puedo menos de recordar cómo, cuando casi en vísperas de licenciarse en Filosofía tomó la dramática decisión, la fatal resolución, como tengo que decir desafiando el disgusto de ustedes por el estilo del novelón o el melodrama, de no licenciarse en Filosofía, sino en Letras, vino a mi casa, a descubrírmela a mí primero que a nadie, para que yo "preparara" a don José, a don Manuel y a don Xavier, como si se tratara de darles la noticia de la defunción de un deudo querido –qué, como si se tratara. . . de tal bien parece que se trató; pues ella ha de ser sin duda para su compañero de carrera, hoy muy distinguido profesor de Filosofía, la esposa más capaz de seguir siendo la camarada más comprensiva y mejor colaboradora, pero en esta camaradería parece haber ab-negado su propia personalidad.

Ahora bien, en punto a las causas de la gran dificultad en el logro de una filósofa, la experiencia de profesor me ha traído a ideas exactamente opuestas a las de la tradición y la vulgaridad acerca de la mujer. Son estas últimas: que la mujer es intelectualmente inferior al hombre, pero en cambio es muy superior al hombre en afectividad heroica. Pues no. Mi experiencia es que las más inteligentes entre mis discípulas eran y siguen siendo tan inteligentes como los más inteligentes de sus compañeros; y más aún: que su inteligencia puede sobresalir justo por caracteres y poderes que pasan por específicamente masculinos. Entre las dos mejores de mis discípulas, propiamente en Filosofía, de aquí de México, puedo asegurar que la aguda claridad conceptual, digo conceptual, de una de ellas, no es inferior a la de ninguno, digo ninguno, de los hiperiones; y la otra se ha interesado por dominar y enseñar, y lo ha logrado, como ningún otro miembro del cuerpo discente e incluso docente de esta Casa, la disciplina filosófica de que, con arreglo a los lugares comunes y deleznables, menos podría hacerse dueña y señora una mujer.

Mas, en cambio, pienso que la mujer no está pertrechada de una afectividad cualitativamente adecuada o cuantitativamente fuerte para triunfar de las terribles presiones que todo en torno a su alma y a su cuerpo vienen milenariamente ejerciéndose para impedir logros como el de una filósofa. Con esto no quiero decir que su afectividad sea de calidades inferiores a toda afectividad masculina, o que su heroísmo quede por bajo del viril; quiero decir que necesita –aunque esta necesidad represente una perfecta injusticia de parte de la naturaleza, de la historia o de quien sea–, necesita un heroísmo de una graduación mucho más alta que la del varón para vencer de los afectos que se cruzan entre éste y ella. Porque la más eficaz hasta ahora de las aludidas presiones, y por ello la más temible aún, es la que ejerce el generalizado ideal masculino de la entrega y rendición absoluta, del autoanonadamiento de la mujer por amor. Este ideal me parece una manifestación, capital por su profundidad, de aquel modo de ser del ser humano en superar la ancestral radicalidad del cual me parece, asimismo, estar la posibilidad misma del futuro histórico de la Humanidad: el fiero y ciego impulso a dominar al congénere, a someter al prójimo, como si sólo por su encoger el cuerpo, doblar las rodillas, yacer por tierra, cupiera tener percepción de la propia estatura, y no por percepción interna de la propia postura erguida o por percepción de un alma ajena a través de unos ojos, los suyos y los nuestros, a la altura del alma propia. Confieso que siento haber llegado a no poder comprender más que intelectualmente la satisfacción experimentable por enderezarse sobre unas piltrafas de espíritu, en vez de "vivirse" amado por un alma en plenitud y gozo de ésta.

Y, final notable –no voy a negar, ni siquiera a disimular, con hipocresía perfectamente innecesaria, que la actividad más específica del profesor en cuanto tal no pueda recibir, no reciba normalmente, el impulso que todo ejercicio viril, armas o letras, negocios u ocios, ha recibido siempre del afán de repercutir con él sobre la mujer; pero lo que la experiencia me ha revelado, porque ha sido para mí una verdadera revelación, es que a medida que la percepción y la convicción de la equiparidad de la inteligencia, del espíritu todo femenino, con el masculino, va probando, por experiencia de este mundo, que la inteligencia, que el espíritu todo, no son afectados por el sexo, como la sagacidad de los teólogos intuyó y concibió en la doctrina de las inteligencias separadas y los espíritus angélicos, la relación toda entre mujer y varón es alzada a su nivel sumo: el de una inteligencia mutua en que precisamente la inteligencia, con pulso sosegado por profundo y por tierno sutil tino, se rige a sí misma y rige entero el resto.

Mas, sea con los discípulos o con las discípulas, aquí o allá, antes y ahora, mi actividad de profesor se ha desarrollado a lo largo de las dos líneas posibles a toda actividad de este género: pueden llamarse la del informar y la del formar y tienen por órganos más específicos la clase y el seminario; en modo alguno únicos: a las dos funciones pueden servir todas las formas concretas de la relación de amistad: la reunión y la conversación informales; el simple ver la dedicación, el entusiasmo de una persona por su actividad profesional, puede ser para quien los ve más formativo, más edificante que ninguna otra cosa. Personalmente no puedo convencerme de haber hecho menos que con todas mis clases y seminarios, con aquellos paseos de Zaragoza, a la salida de la clase a media tarde, para recalar en una chocolatería del Coso, donde se estaba "platica" que te "platica" conmigo media docena de estudiantes, que al anochecer me conducían hasta casa por las añoradas calles relativamente apacibles de la capital provinciana; o con aquellas reuniones ya de aquí, de México, los sábados por la tarde, que espero no hayan olvidado aún del todo algunos de los aquí presentes. . . Por estos días precisamente ha empezado a aletear en mí la esperanza de que mi reciente situación de profesor de carrera me permita volver a algo parecido. Mas sea en la clase o en el seminario, en la casa o en la calle, he pensado, al haber acabado por reflexionar sobre ello, que he procedido de una manera que me ha parecido reducible a los que casi pudieran llamarse ciertos principios ideales, a los que he procurado ajustarme, ocioso es que diga que sin conseguirlo igualmente en todos los casos: no utilizar, sino servir; no abatir, sino estimular; no celos, sino generosidad.

EL PERFIL DEL HOMBRE Y LA CULTURA EN MEXICO

El dramático lema de este libro pequeño[1], pero rico, porque denso, es el perfil futuro de la cultura en México. Lo que al autor interesa en definitiva es el porvenir de su país como cultura nacional entre las demás naciones americanas y en la cultura universal. El perfil pasado y presente de la cultura mexicana es estudiado para poder continuar el trazo de su línea histórica en el futuro. Esta intención hace del libro un ensayo de morfología de la historia. Pero el futuro de la cultura mexicana no es concebido simplemente como una consecuencia necesaria de los antecedentes históricos y de los factores permanentes, colectivos o sociales y psicológicos-étnicos, que se analizan y exponen, sino, de una manera más compleja, como el resultado posible de una voluntad nacional consciente. Esta concepción da al libro el carácter de un tratado y un acto positivo de pedagogía nacional. En cuanto al hombre, su perfil es, ya parte del perfil de la cultura, ya diseño de los factores radicales a que se debe este último, en estricta fidelidad al método cifrado en la frase de Spengler que el libro asume por lema: "Sólo partiendo el *alma* puede descubrirse la historia del hombre". Con lo que el libro entraña, finalmente, toda una psicología nacional.

Lo primero que a mí, como español discípulo de Ortega y Gasset, me ha llamado la atención, es la similitud del problema planteado en el libro, y de la manera de plantearlo y aun de tratarlo en busca de la solución, con el problema, también de la cultura nacional venidera, y por y para ella pretérita y actual, de que partió la obra del maestro español allá por 1914, el año de las *Meditaciones del Quijote*. La inquietud por España como cultura, la idea de la salvación de esta cultura nacional por *la* cultura, el programa de estudio de la realidad patria, fueron circunstancias, raíces y temas en el complejo punto de partida del maestro español. Ramos conoce la obra de Ortega y ecos de la de éste se oyen distintos en la de aquél. Sin embargo, yo he experimentado constantemente a lo largo de la lectura la impresión de que las similitudes indicadas surgen espontáneamente de afinidades objetivas entre los temas y de la originalidad y autenticidad parejas con que ambos pensadores se enfrentan a su realidad nacional circundante y a su realidad personal, íntima –la nacional en ellos–, en donde inside el valor filosófico de las obras.

De las afinidades aludidas son particularmente notorias las que se advierten entre las agitadas historias mexicana y española del siglo XIX; entre la situación general de la cultura, en especial su valoración por la sociedad, en uno y otro pueblo; entre la psicología del mexicano y la del español. La cultura de nuestra patria nos había ofrecido a los españoles un espectáculo de inferioridad, comparativamente a la cultura europea occidental, que suscitaba reacciones análogas, denigratorias y compensatorias, a las expuestas por Ramos, pero que también fomentó movimientos de fuga hacia la cultura universal y esfuerzos de acción sobre el medio nacional como los de los intelectuales mexicanos: en España, por ejemplo, ejemplos máximos, se ha llamado a uno "la generación del 98", es otro la obra literaria, docente y política de Ortega. En cuanto a la psicología de los pueblos, no ya las analogías, sino las identidades, entre el nacionalismo masculinista, permítaseme la expresión, y otros rasgos, llegan hasta el lenguaje mismo. Algunas de las expresiones del "pelado" aducidas por Ramos son en España formuladas literalmente en los mismos términos y empleadas exactamente con la misma frecuencia y la misma significación tanto en la intención consciente de quienes las profieren, cuanto como revelaciones de una mentalidad y carácter colectivos. Sin embargo, las diferencias me parecen preponderar sobre las similitudes entre lo mexicano en su conjunto y todo lo europeo. Porque las naciones hispanoamericanas representan en la historia de la cultura universal un caso nuevo. Es lo que enseña muy bien el libro de Ramos.

Su contenido tiene una estructura constituida en tres capas superpuestas. La más superficial es la formada por los hechos históricos y sociales que se exponen como material de estudio o documentación. Por debajo se señala un bloque compacto de circunstancias y caracteres colectivos y estables cuyo estudio es una filosofía de la cultura. La capa más profunda es la del alma humana que soporta y determina todo lo anterior. Las tres capas tienen una trayectoria en el pasado hasta el presente, y una prolongación ideal en el futuro bajo la forma de previsiones y proposiciones referentes a un cambio del hombre mexicano que asegure el destino de la cultura en la historia venidera de México. Yo no tengo conocimiento de México para poder permitirme juicio autorizado alguno acerca de la verdad con que el libro de Ramos sea conforme a los hechos históricos y sociales de la realidad mexicana, ni en consecuencia acerca de lo certero de las previsiones y proposiciones relativas al porvenir: me limitaré a insinuar que el mexicano perfilado por él hace una impresión patológica que se quisiera fuese excesiva. Pero me parece que la declaración que acabo de hacer no me impide poder señalar los medios y la forma con que el material integrante de las capas indicadas está aprehendido y elaborado en las dos más profundas: un repertorio de categorías de filosofía de la cultura y de la historia y determinados métodos y nociones psicológicos. Como tampoco puntualizar el sentido de la cultura que en general tiene Ramos y que revela con particular atractivo en su posición definitiva ante el futuro.

La cultura mexicana es definida desde el primer momento por su carácter más aparente, el constituido por su situación en el curso de la historia universal, como una cultura *derivada*, desde la Independencia, por vía de *imitación*, debiendo serlo por la de *asimilación*, de la cultura preexistente e importada al continente americano. Pero como preexistía también un elemento indígena, perduradero hasta hoy como un medio, como un ambiente, vasto, difuso, pasivamente presente y, sin embargo, activo y poderoso por su simple presencia, a pesar de que una cultura derivada supone una predisposición para la cultura importada en el pueblo que la recibe, la cultura mexicana es una cultura miscelánea, cuya manifestación más valiosa es la cultura *criolla*. Estos conceptos de "cultura derivada" y "cultura criolla", "imitación" y "asimilación de la cultura", "presencia" histórica, con aquellos que los especifican y completan con el general de "cultura", componen el órgano lógico utilizado y necesario para la aprehensión de la realidad *sui generis* que es una cultura como la mexicana. Ahora bien, estos conceptos son en el libro de Ramos objeto de manejo y empleo, pero no de análisis y definición acabadas de cada uno, ni de sistematización entre sí de todos, es decir, de elaboración expresa. Esto no significa, desde luego, un defecto. Es probable que represente un acierto, por el contrario. Más bien que aplicar a una realidad histórica nueva, como es la de la cultura mexicana, un sistema previo de categorías, con el riesgo muy alto de hacer uso de un instrumento inadecuado, por oriundo de las realidades históricas más antiguas, clásicas ya, Ramos va empleando los conceptos que en buena parte le sugiere con una peculiar espontaneidad, y como más propios, la realidad nueva a que se ha enfrentado, y estas categorías así surgentes cobran un valor como fenomenológico puro (término que no puede tener aquí el sentido que tiene en Husserl, permítaseme anticiparme en la observación a los avisados). No exactamente lo mismo sucede con la parte psicológica del libro. En ésta hay una aplicación deliberada e insistente, no diré de ortodoxia, de métodos y nociones de la psicología contemporánea, psico-analíticos, estimados expresamente como los más idóneos para revelar los mecanismos del alma por los cuales explica Ramos la historia y la constitución de la cultura mexicana. Pudiendo adherirse a la afirmación de esta idoneidad, y teniendo presente que no a todas las direcciones o escuelas psico-analíticas es común la misma concepción mecanicista de lo psíquico (Ramos se sirve de Adler), que estaría en contradicción con el sentido orgánico de la cultura que comparte Ramos, cabría estudiar expresamente la relación de esta psicología con la apuntada filosofía de la cultura que representan convergencias como la que el libro utiliza entre el mimetismo en la cultura y los mecanismos de compensación de las almas dominadas por un complejo de inferioridad, cual es, según Ramos, la de sus compatriotas.

He indicado ya el sentido orgánico de la cultura que tiene Ramos, y antes el lugar de su libro en donde para mí lo revela con particular atractivo. Es en el concepto, el ideal y la norma de la potenciación de los valores propios –salvación de las circunstancias, dice Ortega en las *Meditaciones* citadas–, en la síntesis tan ponderada que propone de nacionalismo o mexicanismo y europeísmo o universalismo, de civilización y vida no civilizada, y en torno al concepto de humanismo como algo más amplio, más permanente y más hondo y radical que las "humanidades". En el libro hay acaso otras páginas de mayor plenitud todavía, el capítulo epítome lapidario de "la cultura criolla", el mejor para mi gusto desde el punto de vista de la composición literaria y estilístico.

La América hispánica no ha dejado de producir ya obras en que expresa la conciencia y el ideal de sí propia. El arquetipo es el *Ariel* citado por el mismo Ramos. La obra de éste sobreviene con el valor peculiar que le confiere el haberse atenido –sin que el sentido y la misión universales de la América hispánica estén ausentes de sus páginas– a potenciar una realidad próxima y precisa, en perfecta concordancia con la inspiración ideal de todo el libro.

Que mi colega y amigo me permita terminar esta nota incitándole a dar a su obra segunda parte en un libro sobre los insinuados temas de una filosofía de la cultura y de la historia, que no debe temer el "nunca segundas partes. . .", por lo demás desmentido por hartos hechos. Con un esfuerzo exhaustivo de descripción y expresión de la realidad mexicana en conceptos y categorías directos y propios culturales y psicológicos, y un análisis a fondo y una sistematización de ellos, así como una definición y fundamentación del método empleado de esta manera, bien puede Ramos enriquecer con un libro de alcance general la cultura de esta su patria, a la que ha dedicado tan ejemplar atención. En todo caso, el notorio afán de México por llegar a la perfecta conciencia de sí mismo y por expresarse en forma ajustada a su real originalidad –a pesar de toda la derivación– puede ver buena muestra de cómo está lográndolo en este verdadero compendio filosófico del país.[2]

Mayo de 1939.

1. Samuel Ramos, *El perfil del hombre y la cultura en México*. Segunda edición aumentada. Editorial Pedro Robredo. México, D.F., 1938.
2. *Letras de México*. 1939, 15 de junio.

EL "HACIA" DE SAMUEL RAMOS
Hacia un nuevo Humanismo

La publicación de este último libro de Samuel Ramos, *Hacia un nuevo Humanismo* (La Casa de España en México, 1940), es lo que se llama sin adjetivos un acontecimiento. Implica, en efecto, todo lo que quisiera apuntar, al menos, en este artículo.

La filosofía actual, es decir, la dotada de vigencia y de virtualidad inmediata, entre toda la profesada en la época contemporánea, puede datarse muy precisamente del año 1900, en que aparecen las *Investigaciones lógicas* de Husserl. La fenomenología y sus derivaciones aparecen, desde esta altura de nuestro siglo, como la filosofía dominante en su primera mitad. En una primera etapa de la fenomenología, su idealismo refuerza el de la imperante filosofía neokantiana, principalmente de la escuela de Marburgo. Pero pronto las dos corrientes, neokantiana y fenomenológica, se dirigen resueltamente hacia el realismo: los nombres de Külpe y de Scheler son los más representativos de la nueva dirección en cada una. Los *Grundzüge einer Metaphysik der Erkenntnis,* de Nikolai Hartmann, constituyen la síntesis significativa de la fenomenología con el neokantismo marburgués que ha evolucionado desde el idealismo hasta el realismo, y, en cuanto tal síntesis, un hito en los caminos de la filosofía contemporánea. Por otra parte, dentro del neokantismo surge la filosofía de los valores de la escuela de Baden, que lleva a su plenitud Rickert; dentro de la fenomenología, la ética material del valor, de Scheler, y toda una filosofía de los valores también. Una vez más es Hartmann quien, en su *Ethik*, dice la palabra sintética, al atribuir a la crítica del psicologismo llevada a cabo por Husserl en el primer tomo de las *Investigaciones* lógicas el impulso inicial de la restauración del realismo de lo ideal que son o a que equivalen parte de aquel realismo neokantiano y fenomenológico y estas filosofías de los valores. Así se constituyó y empezó a difundirse didácticamente, sobre todo, una *Weltanschauung* pluralista, en el sentido de que veía el mundo integrado por regiones de objetos: físicos, psíquicos, ideales, metafísicos, valores. Pero esta deleitable visión duró poco, al menos en el campo de la filosofía misma, que en el de la didáctica es comprensible sean la regla los fenómenos rezagados Una de las regiones iba a alzarse con la hegemonía sobre las demás, hasta amenazar la autonomía de algunas de las que parecían haber consolidado su independencia. En muchos lugares de la filosofía contemporánea latía o hasta apuntaba una filosofía de la persona. Era consecuencia natural de la devolución a lo psíquico de su singularidad irreductible, hecha en términos definitivos desde 1874 por Brentano, el maestro de Husserl. Como una filosofía de la persona culminó entre todas la filosofía del espíritu correlativa de la filosofía del valor de Scheler. Pero la vitalidad toda de este gran agonista del pensamiento, proteica como la de un héroe del mito, impulsó sin intermitencia a su espíritu hasta una sociología del saber –en que se historiza en cierta manera y medida la razón, la clásica inmutable naturaleza humana– y una antropología filosófica que no son sino el sostén de una cosmoteología del Impulso y el Espíritu. En esta situación de la filosofía, aparece en 1927 *Sein und Zeit* de Heidegger y empieza la marea de la "filosofía existencial", hasta el maremagnum actual, que tal es el existente con, de, en, por, sin, sobre y tras el existencialismo. El *Dasein*, lo que llamamos la vida, cuando decimos, por ejemplo, "así es la vida", como traduciré, no literalmente, pero sí con mayor fidelidad al sentido y menos concurrencias equívocas con otros términos quizás que cualquier otra traducción posible, se presenta como el ente caracterizado por una determinada primacía óntica y ontológica. Heidegger alumbra retroactivamente y destaca el historicismo, yacente en la penumbra del pasado inmediato, de Dilthey, alguno de cuyos discípulos, Spranger, se había acercado a las filosofías de los valores y de la persona, principalmente del tipo Scheler. Igualmente modifica Heidegger el relieve con que se ve a un Bergson: se hunde en sombra vetusta su naturalismo, se alzan con relumbrante actualidad sus temas preexistencialistas. En España, Ortega pasa por sí, ya desde las *Meditaciones del Quijote*, por lo menos, del idealismo de sus maestros de Marburgo a un realismo de la "razón vital" en que se debe reconocer una de las contemporáneas filosofías de la vida originales en su motivación y sentido particulares y en buenas porciones de su desarrollo, aunque coincidentes entre sí en el resto de este desarrollo, como consecuencia natural de la comunidad de su génesis histórica y de su orientación general.

El libro de Ramos reduce a orden discursivo esta filosofía actual así producida históricamente. El punto de partida es una afirmación de la posición realista en que hay aún docilidad a la primacía concedida al problema y a la teoría del conocimiento por la filosofía contemporánea ya menos actual: ¡"aquella" necesidad de asegurar antes que nada la realidad de toda la subsiguiente, realidad que la filosofía más reciente nos *da* con más seguridad que la de toda posible *busca* de ésta! Pero Ramos no ignora esta filosofía más reciente: véase el capítulo *La base ontológica del conocimiento*; simplemente no ha sacado todas las consecuencias pertinentes a la composición de su libro; la razón de esta indiferencia se encuentra en la que es para mí la naturaleza del libro, explicativa de todas sus peculiaridades, a la que me referiré más adelante. A este realismo inicial se yuxtapone la historicidad de la razón como "variación de las categorías". La realidad conocida por medio de las variables categorías de la razón se presenta inmediatamente como la de la *Weltanschauung* pluralista de las regiones de objetos. Pero, región privilegiada: la existencia humana, "que es la más independiente de todas y en la que todas las demás vienen a reunirse". En este punto, reivindicación de Boutroux y Bergson como antecesores de la filosofía existencial. Justo tributo de gratitud a la filosofía francesa a que Ramos debe tan buena –en todos sentidos– parte de su formación, y reivindicación justa en sí, que la filosofía más reciente no ha dejado de hacer enteramente. El *Programa de una Antropología filosófica* que traza Ramos considera como primera parte de la disciplina la definición de la esencia del hombre hecha con arreglo al método fenomenológico de Husserl o fenomenología de la existencia humana de Heidegger. La fenomenología de Husserl figura sólo, pues, como método de descripción de esencias. "De las ideas sobre el hombre hay que hacer un primer grupo con aquellas que aparezcan con mayor grado de evidencia para formar lo que podría llamarse axiomática de la antropología". En este capítulo de los *Axiomas de la Ontología humana* se encuentra lo procedente de la analítica del *Dasein* de Heidegger, aunque el capítulo no se reduce a ello, antes al contrario, lo procedente de la analítica heideggeriana es relativamente mínimo. Un punto excepcionalmente importante, verdaderamente central, del discurso del libro, es aquel en que se afirma que "no puede desconocer la ontología de la existencia humana el hecho de que el hombre es un "animal político", un "ser que vive en la sociedad", y en que se reconoce, "aludiendo a otra realidad importante de la existencia humana", que "el hombre es un ser moral, es decir, un ser que se encuentra ante exigencias y deberes de un carácter ideal. La conciencia humana no es sólo conciencia del ser, sino también del "deber ser", que es como puente que lleva al hombre del mundo de la realidad al mundo de los valores". Por este punto se inserta en la antropología filosófica, y aun en la ontología de la existencia humana, lo que constituye el contenido de la segunda mitad del libro: la filosofía de los valores y de la persona. El resto del programa de la antropología filosófica está formado por una mención de la tipología de las concepciones del hombre hecha por Scheler, para indicar la curva de humanismo que han grabado en la historia; por una exposición de la nueva valoración, positiva y limitativa, de los instintos, en su ponderación muy propia de Ramos; y por un estudio de las capas del ser humano, a base de las distinguidas por Ortega y Gasset como vitalidad, alma y espíritu. La filosofía de los valores y de la persona, una vez inserta en la ontología de la existencia humana de la manera indicada, no podía oponer al orden del libro sino dificultades muy secundarias de desarrollo. Ramos sigue fundamentalmente, como era obligado, a los grandes creadores, a Scheler y a Hartmann, en una secuencia de las doctrinas de ambos facilitada, en lo que tiene de síntesis, por la dependencia del segundo respecto del primero, pero que no se hace cuestión de las divergencias y discrepancias que no faltan, y en puntos capitales, entre ellos. Mas esto entra ya en consideraciones que deben seguir aparte.

El contenido del libro le da el carácter de un breviario de la filosofía actual, según basta a mostrar ya un resumen como el que acabo de hacer. Como tal breviario será seguramente recomendado por críticos y profesores, entre los cuales quiero contarme desde ahora, y utilizado por estudiantes y público, y este su carácter y el estilo, sobrio y claro, le auguran el éxito. Sin embargo, el libro no es específicamente una obra didáctica, aunque su autor sea profesionalmente un profesor. Su composición no responde precisamente a una intención didáctica, ni es la que una exposición didáctica hubiera adoptado probablemente. Si resulta acertada didácticamente, este resultado no ha sido el perseguido, el perseguido es accidental. La intención y la composición del libro pertenecen a una capa de motivaciones y articulaciones más profundas que las didácticas.

El orden discursivo a que Ramos reduce la filosofía actual producida históricamente no presenta los filosofemas de la filosofía actual en los momentos en que se produjeron sucesivamente, sino que los coloca en lugares determinados mutuamente por relaciones doctrinales establecidas entre ellos. Impone, pues, una sistematización a la historia de la filosofía actual, o equivale a un sistema de la historia de la filosofía actual, como es posible decir, en fin, sin equívocos, aunque el autor afirme modestamente que "no pretenden ser estos escritos un tratado de filosofía en el que se expongan sistemáticamente sus problemas. Sólo deben tomarse como una selección de ideas ordenadas de acuerdo con una perspectiva personal". El lector y el crítico tienen el derecho de tomar el libro, no como el autor pueda decir que es, sino como sea efectivamente, y yo espero haber demostrado lo que éste de Ramos es efectivamente, con los anteriores resúmenes de la historia de la filosofía actual y del contenido del libro. Ahora bien, un sistema semejante no puede menos de plantear a quien lo emprende algunos problemas, sobre todo si quien lo emprende tiene conciencia de la función y sentido del problema en filosofía, como Ramos denuncia tenerla expresamente en este su libro (véase la p. 31 y s.). Ante todo, problemas de selección y de consideración, que son problemas de crítica y de valoración que resolver con arreglo a la idea que se tenga de la verdad de la filosofía en relación con su historia. No todas las filosofías actuales entrarán, podrán entrar, en el sistema, o las que entren, no todas en la misma proporción. En el de Ramos es notoria la preponderancia de Scheler y más aún de Hartmann sobre Heidegger y más aún sobre Husserl, aun cuando para muchos Husserl y Heidegger representan en la filosofía algo mucho más actual –por más verdadero, naturalmente– que lo representado ya por Scheler y, sobre todo, Hartmann. En seguida, problemas de articulación. ¿Cómo articular en un sistema filosofías que ven su autenticidad respectiva en su distinción recíproca? Para poner el solo ejemplo del problema más grave de esta índole que ha tenido que planteársele a Ramos: éste hace entrar en la antropología filosófica la analítica del *Dasein* entendida a la manera de Heidegger, aun cuando éste a su vez dedica un párrafo entero de *Sein und Zeit* a deslindarla frente a la antropología, psicología y biología. Por último, el problema, radical, de la empresa misma. El problema, clásico –de Aristóteles a Hegel–, formidable, de la reducción de la historia de la filosofía al orden discursivo de un sistema. El problema general del sistema de la historia. La historia de las filosofías habría de producirse en un orden filosófico, para que hubiera de ser posible una filosofía en que se ordenara la historia de las filosofías. . . El libro de Ramos no traduce el planteamiento de estos problemas. Es cierto que no por ello su selección es menos justificada, ni su ilación menos rigurosa que las normales en los libros de su género, y, en cuanto al problema del sistema de la historia, que ésta propone la solución de los repetidos intentos de sistemas ordenadores de ella –pero no es menos cierto que el libro hubiera ganado una nueva dimensión, una tercera dimensión, una dimensión de profundidad, densidad e interés dramático, con el planteamiento y discusión de problemas tales. Ahora que hubiera sido otro libro que el que a Ramos le interesaba escribir y está justificado por haberlo hecho.

Ramos no ha querido detenerse, enredarse en problemas. Ha ido derecho a la síntesis, a la recreación y la creación. El mismo presenta su libro como "un resumen de las convicciones filosóficas del autor". Libro de convicciones – ¡por algo no es un libro de problemas! Pero ¿es posible que las convicciones filosóficas de una personalidad de originalidad tan insobornable, tan irreductible, por profundamente mexicana y por temperamentalmente singular, como Samuel Ramos, sean las ideas de Hartmann o de Scheler? Por mi parte, no lo veo así. Por mi parte pienso que las convicciones filosóficas de un pensador no están constituidas sino a lo sumo inicial, estimulativa, y nunca propiamente, por las ideas ajenas que adopta, sino por los motivos por los cuales las adopta, motivos que no pueden ser a su vez tomados también al prójimo, motivos personales, que, si en un principio posiblemente inconscientes o poco conscientes para el movido por ellos, al trasponerse conscientemente en razones y desarrollarse, constituyen la filosofía original y privativa del pensador. Y así veo que es también en este caso de Ramos. Este breviario de la filosofía actual, este resumen de las convicciones filosóficas del autor, tiene patentemente el aspecto de la exposición nacida "de una especie de examen de conciencia, de una liquidación de ideas", según el testimonio que de su origen da el autor mismo. Este libro es el ajuste de cuentas de Ramos con la filosofía actual, para. . .

Inserta Ramos su sistema de la historia de la filosofía actual entre un capítulo inicial sobre *La crisis del humanismo* y una *Conclusión* que vuelve sobre este tema del capítulo inicial. Hay en el hombre la dualidad de espíritu y materia. Una determinada idea filosófica y general a la cultura venía tradicionalmente exaltando el primero con menosprecio de la segunda. La consecuencia ha sido la reacción de lo material en que deben contarse o a que deben atribuirse los fenómenos y los hechos sintomáticos o constitutivos de la crisis de nuestro tiempo, de nuestros días. Crisis causada, como se ve, por una determinada idea del hombre. Crisis, pues, de la idea misma del hombre. En esta parte del libro de Ramos sí que apunta lo problemático, y lo problemático radical. La problematicidad de la filosofía misma, indudablemente radical en un libro de filosofía. ¿Es ésta una potencia de bien, como es el juicio tradicional propio y ajeno acerca de ella? ¿Es ni siquiera una potencia, como lo ponen o tienden a ponerlo en tela de juicio desde el materialismo histórico hasta la concepción de la impotencia del Espíritu de Scheler y Hartmann? El fondo del fondo de la crisis de nuestros días es esta crisis del poder del espíritu, de las ideas, de la razón. . . Es que ésta es la parte auténtica del libro. En este capítulo inicial y en esta conclusión, y en páginas como la 31 y siguientes o la 88 y siguiente, hay que buscar en *Hacia un nuevo Humanismo* la filosofía del autor de *El perfil del hombre y la cultura en México*. El espíritu del autor de este *Perfil* se perfila a sí propio también en la característica ponderación del nuevo humanismo que propone, que propugna: "cuya dirección es de abajo hacia arriba", porque tiene que alzar de nuevo a su sitio los valores humanos que la reacción materialista ha hecho bajar de él, para "la síntesis de los impulsos enemigos" en el hombre y "el restablecimiento de la armonía, primero en su ser individual y luego en su existencia histórica". Y la convicción más profunda que anima la propuesta de este nuevo humanismo y la pugna por él es la convicción a la cual va vinculada la subsistencia o el suicidio de la filosofía: la del poder de la razón, de las ideas, del espíritu; la convicción de su propio poder. A pesar de todos los filosofemas schelerianos y hartmannianos absorbidos, expresa; la íntima autenticidad es inalienable y se escapa; por ejemplo: "es justo reconocer que la filosofía contemporánea no ha descansado para hacer frente a la crisis mundial y que ha logrado señalar diversos caminos de salvación". La salvación, por la filosofía. . .

Ajuste de cuentas con la filosofía actual, para. . . pasar, sin el embarazo de cuestiones previas, definitivamente, a la propia. Por eso en el título del libro me ha parecido más importante el "hacia" que los demás términos, y por eso he puesto a este artículo el título que habrá sorprendido al lector. El acontecimiento que es este libro de Ramos está, en suma, en su significación decisiva en cuanto al punto a que ha llegado la asimilación de la filosofía actual por México. Más o menos directa y auténticamente conocida, más o menos difundida y compartida, la filosofía actual ya no tiene nada esencial ignorado del pensamiento mexicano. Por lo tanto, éste se halla en el trance y en el deber de superarse hacia un pensamiento de sí propio –empezando por plantearse y resolver el problema de si la "propiedad" de este pensamiento admitirá como forma de él la filosófica, o, si no tanto, determinadas formas meramente modernas y extranjeras de la filosofía. Para esta obra, situado, como está, entre las generaciones mexicanas de los grandes maestros y de los maestros más jóvenes, coincidiendo la madurez de su vida con la detención del movimiento de la filosofía en el extranjero causada por la culminación de la crisis en la guerra, y habiendo encontrado y acometido el tema, suyo, del perfil del hombre y la cultura en su patria, nadie me parece más "condenado por Dios" que Samuel Ramos.[1]

Agosto de 1940.

1. *Letras de México*, 1940, 15 agosto.

INDICE